Spanish for the Medical Professions

Ralph Kite

Advisor: María Cárdenas Caballero
BSN, RN

While it may be used independently, this supplement
is part of the package of materials that accompanies
DESTINOS: An Introduction to Spanish

McGraw-Hill, Inc.
New York St. Louis San Francisco Auckland Bogotá Caracas
Lisbon London Madrid Mexico Milan Montreal New Delhi Paris
San Juan Singapore Sydney Tokyo Toronto

Spanish for the Medical Professions

1 2 3 4 5 6 7 8 9 0   MAL MAL   9 0 9 8 7 6 5 4 3 2

ISBN 0–07–067165–6

This book was set in Garamond by Fog Press.
The editors were Thalia Dorwick, Eileen Burke, Marian Hartsough, and Kathy Kirk.
The production supervisor was Louis Swaim.
Production and editorial assistance was provided by Lorna Lo and Elizabeth McDevitt.
Illustrations were by Wayne Clark.
The cover was designed by Brad Thomas.
Malloy Lithographing, Inc., was printer and binder.

Library of Congress Cataloging-in-Publication Data

VanPatten, Bill.
    Destinos: An Introduction to Spanish / Bill VanPatten, Martha Alford Marks,
Richard V. Teschner.
       p.   cm.
    Includes index.
    ISBN 0-07-002069-8
    1. Spanish language—Textbooks for foreign speakers—English.   I. Marks, Martha.
II. Teschner, Richard V.   III. Title.
PC4128.V36   1991
468.2'421—dc20

                                      91-32511
                                      CIP

0-07-911379-6 (Spanish for Business)
0-07-911380-X (Spanish for Education)
0-07-911381-8 (Spanish for Tourism)
0-07-911382-6 (Spanish for Law and Law Enforcement)
0-07-911383-4 (Spanish for the Medical Professions)
0-07-911384-2 (Spanish for Social Services)

Grateful acknowledgment is made for use of the following:

Realia: *Page 1* Reprinted with permission of Dr. Mariano Mederos; *21, 23 Nutrición y Su Salud: Una Guía para Su Dieta* (Washington, D.C.: U. S. Government Printing Office); *40* Reprinted with permission of The Rocky Mountain Poison Center; *42* Lohghi & Loscalzo, P.C.

Photographs: *Back cover* courtesy of Olivia Tappan and Creative Television Associates (Boston).

Contents

Preface   v

UNIDAD 1: Lecciones 1–6

Lección 1   1

Lección 2   2

Lección 3   3

Lección 4   5

Lección 5   6

Lección 6   7

UNIDAD 2: Lecciones 7–11

Lección 7   9

Lección 8   11

Lección 9   13

Lección 10   15

Lección 11   17

UNIDAD 3: Lecciones 12–18

Lección 12   19

Lección 13   21

Lección 14   23

Lección 15   25

Lección 16   27

Lección 17   29

Lección 18   31

UNIDAD 4: Lecciones 19–26

Lección 19   32

Lección 20   34

Lección 21   36

Lección 22   38

Lección 23   40

Lección 24   42

Lección 25   44

Lección 26   46

UNIDAD 5: Lecciones 27–36

Lección 27   48

Lección 28   51

Lección 29   54
Lección 30   57
Lección 31   60
Lección 32   63
Lección 33   65
Lección 34   68
Lección 35   70
Lección 36   72
UNIDAD 6: Lecciones 37–47
Lección 37   74
Lección 38   77
Lección 39   79
Lección 40   81
Lección 41   84
Lección 42   86
Lección 43   88
Lección 44   90
Lección 45   92
Lección 46   95
Lección 47   98
UNIDAD 7: Lecciones 48–51
Lección 48   101
Lección 49   103
Lección 50   105
Lección 51   107
Answers Appendix   109
Spanish-English Vocabulary   115

TO THE STUDENT

Welcome to *Spanish for the Medical Professions!* If you are using this workbook, you are interested in communicating with Spanish-speaking patients in a variety of health care settings. It is likely that you are watching the *Destinos* telecourse and working with the Textbook and Workbook/Study Guides that accompany it.

This workbook is coordinated with the fifty-two lessons of *Destinos.* Each lesson assumes that you have first completed the regular Textbook and Workbook/Study Guide lesson and that you are familiar with the vocabulary, grammar structures, and language functions it presents. This is particularly important if you are studying Spanish for the first time.*

As you work with *Spanish for the Medical Professions,* you will notice that the lessons in the first half of the workbook, generally only a page long, stress listening comprehension. The lessons in the second half are longer. While they continue to provide ample listening practice, they offer more opportunities for you to write and speak Spanish.

Listening comprehension, especially in the first half, is emphasized for a very good reason. At least at first, your most challenging task when dealing with Spanish speakers will be to understand what they are saying to you. The more you can "catch" as you listen to them, the more comfortable you will be when you try to respond. Even though you may be particularly eager to start speaking to others, always remember that developing listening skills first will in fact help you to speak more easily in the long run.

SPANISH FOR THE MEDICAL PROFESSIONS: AN OVERVIEW OF THE SITUATIONS

The units of *Spanish for the Medical Professions* correspond to the broad units into which *Destinos* is organized. As you work your way through them, you will have the following experiences.

Lecciones 1–6

You will hear several doctors at a medical center advising patients with different medical problems and questions.

Lecciones 7–11

You will listen as Dr. Barrera discloses to his patient, Sra. Valdez, that she is pregnant and they discuss the various medical aspects of the next nine months.

Lecciones 12–18

You will accompany Elena as she attends a series of classes on nutrition at the medical school and later discusses with her mother what she has learned.

Lecciones 19–26

You will be present as a variety of emergencies are dealt with in a hospital emergency room.

Lecciones 27–36

You will accompany Camila when she takes her month-old baby, Elenita, to the pediatrician, Dr. Peña, and asks questions about her daughter's progress. Later, Dr. Peña gives some lectures on children's health issues.

Lecciones 37–47

You will listen as the specialists at the Clínica San José treat and advise their patients on problems ranging from surgery to AIDS. You will also practice interviewing and letter writing.

---

*It is also possible to use these materials as a supplement to another course or simply as a "refresher." If you have already studied beginning Spanish or know Spanish for some other reason, you will not need to work with the *Destinos* Textbook and Workbook/Study Guides. You will probably want to have a bilingual Spanish-English dictionary available for reference, however.

Lecciones 48–51

These lessons review much of the important vocabulary you have learned throughout the workbook.

SOME ADDITIONAL INFORMATION ABOUT *SPANISH FOR THE MEDICAL PROFESSIONS*

It will be helpful to note the following features of most lessons of *Spanish for the Medical Professions.*

- At first glance, there may seem to be a lot of vocabulary to learn for each lesson. But remember that there are fifty-one lessons in this workbook! The vocabulary you learn in earlier lessons will be used throughout the workbook.

- Most lessons have two types of vocabulary lists. First, a list of vocabulary is given with the directions to the first activity of each chapter. You will hear this vocabulary in the dialogue, but it is not specifically related to the health professions. The second list, called **Vocabulario útil**, presents vocabulary important for communicating in Spanish in a health care setting.

- The cassette symbol in the margin is the cue to turn on your cassette tape player. You will hear a variety of material on the cassette tape: conversations, interviews, correct answers for some activities, answers to questions you will ask, and so on. Always feel free to listen to the taped materials as many times as you need to and to take notes as you listen. Stop the cassette tape if you need more time to write than the tape provides.

- In the taped materials, you will hear terms from the **Vocabulario útil** lists used in a natural, conversational context. The follow-up activities (sometimes on tape as well) will give you a chance to check your comprehension of what you have heard. It is a good idea to scan the comprehension activity even before you listen to the tape; doing so will give you an idea of what to listen for.

- If you are working with the *Destinos* Textbook and Workbook/Study Guide concurrently with your use of *Spanish for the Medical Professions*, you will recognize in each lesson one brief exercise that focuses on the grammar structures from the telecourse while using vocabulary from the medical supplement.

- An **Entrevista** (*Interview*) activity concludes each lesson in the second half. In it, you will practice asking questions and taking down the information that Spanish-speaking patients give you in situations mirroring those you are likely to experience in the real world.

- The Spanish-English glossary at the end of the workbook contains only health care-related vocabulary from the **Vocabulario útil** lists or from the vocabulary-building activities called **Word Families** and **Aumenta tu vocabulario**. For general vocabulary, you can refer to the Spanish-English vocabulary at the end of the *Destinos* Textbook, or to any good bilingual Spanish-English dictionary.

A WORD ABOUT THE SPANISH IN *SPANISH FOR THE MEDICAL PROFESSIONS*

One of the most fascinating features of the Spanish language spoken around the world today is its incredible variety. As you probably know, there are minor differences between the Spanish spoken in Spain, that of Mexico, and that of other parts of Hispanic America. Because Hispanics living in the United States come from many national backgrounds, there are differences in the Spanish they speak, especially with respect to vocabulary. Most of the Spanish spoken in the Miami area is influenced by the large Cuban and Cuban American population living there. In New York, the dominant influence is Puerto Rican, although Central and South American, and especially Dominican, Spanish are increasingly heard. In the Southwestern United States, Mexican Spanish exerts a strong influence.

Ultimately, however, Spanish is an *international*, not a regional language. For example, while many people living in the Southwest are of Mexican descent, people from Nicaragua, Chile, Spain, Puerto Rico, and other Hispanic countries also reside in that region of the United States. For this reason, learning Spanish will enable you to communicate with a global community, within the United States as well as beyond its borders. This workbook offers you Spanish useful particularly in a health-care environment.

The standard terminology you learn from the workbook will almost always serve your purposes, since Spanish-speaking people from different parts of the world have very little trouble understanding each other. But when you begin to listen to Spanish in the real world, you are likely to encounter unfamiliar terms used by others. For this reason, you will want to supplement the vocabulary from the workbook with vocabulary specific to the Spanish-speaking community in your area. Perhaps you will find someone in your community who can serve as a source to provide you with useful vocabulary and expressions for dealing with your particular patients. That can also be an excellent opportunity to practice Spanish in general as well as Spanish for health care-related situations.

• • •

The author of this supplement would like to acknowledge the help of the following individuals:

- Bill VanPatten, of the University of Illinois, Urbana-Champaign, whose overall design of the materials provided a useful organizing framework

- María Cárdenas Caballero, BSN, RN, for her helpful comments and suggestions on the first draft of these materials.

• • •

ABOUT THE AUTHOR

Ralph Kite has taught at the University of New Mexico, the University of Wisconsin-Milwaukee, and the University of Colorado-Boulder (1968–1990), where he served as Chairman of the Department of Spanish and Portuguese. He received his Ph.D. in Latin American Studies from the University of New Mexico in 1967. Professor Kite is a specialist in Latin American culture and the coauthor of several textbooks in Spanish and Portuguese. He has published articles in several scholarly journals.

LECCIÓN 1

Welcome to the *Destinos* supplement for medical professionals. The Video, Textbook, and Workbook/Study Guide components of *Destinos* will help you learn a lot about Spanish in general. This supplement will provide you with additional special material—primarily words and expressions—that will help you learn to express yourself in Spanish and understand others who may speak that language in your professional situation.

As you work through this supplement, you will discover that many vocabulary items relating to medicine are cognates. As you learned in **Lección 1** of the Textbook and Workbook/Study Guide, cognates are words that look like their English equivalents and mean the same thing. Being aware of these words and the small differences in spelling that occur will help you a great deal in learning words used in the medical professions.

The cassette symbol at the beginning of the next three paragraphs indicates that they are on the cassette tape. It will help if you listen to them as you read along so that you can hear what the Spanish words sound like.

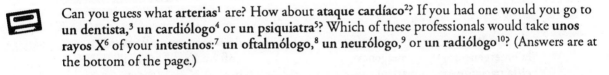

Can you guess what **arterias**[1] are? How about **ataque cardíaco**[2]? If you had one would you go to **un dentista**,[3] **un cardiólogo**[4] or **un psiquiatra**[5]? Which of these professionals would take **unos rayos X**[6] of your **intestinos**:[7] **un oftalmólogo**,[8] **un neurólogo**,[9] or **un radiólogo**[10]? (Answers are at the bottom of the page.)

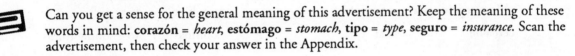

Can you get a sense for the general meaning of this advertisement? Keep the meaning of these words in mind: **corazón** = *heart*, **estómago** = *stomach*, **tipo** = *type*, **seguro** = *insurance*. Scan the advertisement, then check your answer in the Appendix.

As you can see, you already know how to read a lot of Spanish. With a few pointers, the meaning of many more words will become apparent. Some words are similar, though they are not quite cognates. Is there a word with some similarity to the word *total*[11]? Often the context (that is, the surrounding information) will help. What might the line **Oficinas en Queens, Manhattan y Brooklyn**[12] mean? Does the context help you guess what **Llame al**[13]... means?

As the Workbook/Study Guide explains and as you have just heard, these words should not be pronounced as they are in English, even though they look like their English counterparts. Always try to pronounce them with the Spanish sounds as you learn them.

The book will generally emphasize vocabulary related to medical practice in the United States. Cultural notes such as this one will offer information about the medical profession in the Hispanic world.

Nota cultural: Because most Spanish words come from Latin and most English medical vocabulary also derives from Latin, words relating to the medical profession are usually quite similar.

---

[1]*arteries* [2]*heart attack* [3]*dentist* [4]*cardiologist* [5]*psychiatrist* [6]*X-rays* [7]*intestines* [8]*ophthalmologist* [9]*neurologist* [10]*radiologist* [11]*todo* (*all*) [12]*Offices in Queens, Manhattan, and Brooklyn* [13]*Call*

LECCIÓN 2

A. Diálogo: Study the vocabulary and the drawing, then listen to the conversation on the cassette tape. You may not understand every word. Here are some unfamiliar words you will hear:

¿Puede llamarlo a su casa?	Can you call him at home?
llamó	he/she called
voy	I'm going
¿Deben esperar?	Should they wait?

VOCABULARIO ÚTIL

la casa	house		
el consultorio	medical office	después	afterward
la emergencia	emergency	enfermo/a	sick, ill
el/la paciente	patient	hoy	today
el/la recepcionista	receptionist	muy bien	very well
cerca de	near	examinar(lo)	to examine (him)

Now listen to these statements and indicate whether they are true (**cierto**) or false (**falso**). You will hear the false ones restated correctly.

1. C F   2. C F   3. C F   4. C F

B. Fill in the blanks with the correct Spanish article (the equivalent of *the, a/an, some*).

1. _____ médico tiene _____ hija y _____ hija tiene

   _____ esposo.

2. José trabaja en _____ consultorio médico.

3. El Dr. Mario Fernández vive cerca de _____ casa de Pilar.

4. _____ padre de Pilar está enfermo y es _____ emergencia.

5. _____ otros pacientes deben esperar en _____ consultorio.

C. Complete the sentences according to the dialogue: **José (el recepcionista), Pilar, padre, Mario, Alfonso.**

1. _____ llama al consultorio médico.

2. El _____ de Pilar está enfermo.

3. Don _____ no trabaja en la oficina hoy.

4. _____ llama a don Mario a su casa.

LECCIÓN 3

A. Diálogo: Study the vocabulary and the drawing, then listen to the conversation on the cassette tape. You may not understand every word. Here are some unfamiliar words you will hear:

ir	to go
(la) llevo	I'll take (her)
aquí es, aquí tiene	here it is, here you have (it)
allí	there
saber	to know

VOCABULARIO ÚTIL

la cabeza	head	la garganta	throat
la calle	street	la sala de espera	waiting room
la cita	appointment	el síntoma	symptom
el dolor	pain		
la fiebre*	fever	(muchas) gracias	(many) thanks

Now complete these sentences according to the dialogue.

1. Laura necesita ir
   a. a la clínica Mendoza.
   b. al Consultorio Médico Fernández.

2. Laura tiene cita con
   a. el recepcionista.
   b. el médico.

3. El médico desea saber
   a. los síntomas que tiene.
   b. el número de la calle.

4. Un dolor de cabeza y una fiebre son los síntomas
   a. de Laura.
   b. del doctor.

5. Laura debe entrar en
   a. la sala de espera.
   b. la calle Olguín.

B. Complete the sentences with a verb from the list: **desea, entran, están, habla, hay, pregunta, tiene.**

1. Carmen _____ con el recepcionista.

2. Los pacientes _____ enfermos y _____ en el consultorio.

3. Carmen no _____ trabajar hoy.

4. El recepcionista _____ qué (*what*) síntomas _____ Laura.

5. ¿_____ muchos pacientes en la sala de espera?

---

*Also: la calentura

C. Answer the following questions using the cues.

1. ¿Dónde está el Consultorio Médico Fernández? (en la calle 12)

   _____

2. ¿Quién necesita ir al consultorio? (Laura)

   _____

3. ¿Cómo está Laura? (enferma)

   _____

4. ¿Cuánto (*How much*) dinero necesita Laura para el taxi? (3 dólares)

   _____

LECCIÓN 4

• • • • • • • • • • • • • • • • • • • •

A. Diálogo: Study the vocabulary and the drawing, then listen to the conversation on the cassette tape. You may not understand every word. Here are some unfamiliar words you will hear:

sólo	only
todos los viernes	every Friday
¿qué pasa?	what happens?
visitar(los)	visit (them)
ayudar(les)	help (them)
no importan	(they) don't matter
entonces	well then

VOCABULARIO ÚTIL

la alergia	allergy	la receta	prescription
el diagnóstico	diagnosis	el resfriado	headcold
la droga antihistamínica	antihistamine	el tratamiento	treatment
la enfermedad	illness	la vacuna	vaccination
la limpieza	cleaning		
la medicina	medicine	indicar	to indicate

Now listen to these statements and indicate whether they are true (**cierto**) or false (**falso**). You will hear the false ones restated correctly.

1. C F   2. C F   3. C F   4. C F

B. Restate the sentences, following the model.

MODELO: *Deseo caminar* a su casa. → *Camino* a su casa.

1. Necesito ayudar con la limpieza. _____

2. Debo visitar a los abuelos. _____

3. Deseo escribir una receta. _____

4. Necesito tomar una medicina. _____

5. Debo vivir sin (*without*) gatos. _____

C. Answer the following questions.

1. ¿Qué síntomas tiene Laura?

   _____

2. ¿Qué pasa los viernes?

   _____

3. ¿Por qué (*Why*) hay animales en la casa de los abuelos?

   _____

4. ¿Cuál es el diagnóstico del médico?

   _____

Lección 5

 A. Diálogo: Study the vocabulary and the drawing, then listen to the conversation on the cassette tape. You may not understand every word. Here are some unfamiliar words you will hear:

derecho	right
la izquierda	the left (*hand, side*)
desde	since
cada	each, every

VOCABULARIO ÚTIL

el antibiótico	antibiotic		el rasguño	scratch
la cara	face		por vía oral	orally
el comprimido*	pill, tablet			
la gota	drop		hinchado/a	swollen
la infección	infection		irritado/a	irritated
el oftalmólogo/la oftalmóloga	ophthalmologist			
el ojo	eye		por	for; through

 Now listen to these statements and indicate whether they are true (**cierto**) or false (**falso**). You will hear the false ones restated correctly.

1. C F   2. C F   3. C F   4. C F

B. Restate these sentences, following the model.

MODELO: *Vamos a visitar* al médico a las seis. → *Visitamos* al médico a las seis.

1. Vamos a llegar a las cinco y media. _____

2. Mañana vamos a tomar la medicina. _____

3. Vamos a examinar el ojo ahora. _____

4. Vamos a ayudar al ciego hoy. _____

5. Nunca vamos a comprender el tratamiento. _____

C. Answer the following questions.

1. ¿Qué síntomas tiene Charo? ¿Desde qué día tiene los síntomas?

_____

2. ¿Dónde tiene fiebre Charo? ¿Qué tiene hinchada?

_____

3. ¿Cómo puede entrar la infección?

_____

4. ¿Qué debe tomar Charo para la infección?

_____

---

*Also: la pastilla, la píldora, la tableta

Lección 6

● ●

A. Lectura y diálogo: Read the follow passage, then listen to the conversation that follows it on the cassette tape. Note that unfamiliar words are translated below the reading if their meaning is difficult to guess.

El Dr. Arturo García es médico en el Consultorio Médico Fernández. Antes vivía[1] en México y era[2] el médico de don Fernando Castillo. Ahora trabaja en los Estados Unidos pero a veces[3] regresa a México a consultar con el médico actual[4] de don Fernando, el Dr. Julio Morelos. Hoy está en México. Don Fernando tiene una enfermedad grave.[5] Arturo fue[6] a examinarlo y a ayudar con el diagnóstico. Cuando[7] llega descubre que, además de[8] los síntomas físicos,[9] don Fernando tiene otros problemas. Tiene una carta de una Sra. Suárez, de Sevilla, sobre[10] una mujer, Rosario, que pertenece[11] a su pasado en España. Arturo decide llamar a su oficina y mandar[12] la información que tiene sobre don Fernando para después consultar[13] con otros médicos en los Estados Unidos.

[1]Antes... *Previously he lived* [2]*he was* [3]a... *at times* [4]*current* [5]*serious* [6]*went* [7]*When* [8]además... *besides* [9]*physical* [10]*about* [11]*belongs* [12]*send* [13]*consult*

 Now listen to the conversation on the cassette tape.

B. Arturo is in Mexico preparing to send a fax to his office with information about the condition of don Fernando Castillo. Complete his message with words and phrases from the lists. Each word will be used only once and some will not be used. Nouns are listed with definite articles, but the articles will not be needed to complete the message. Verbs are given in the correct form. Be sure to review the meanings of all the words before you begin the activity. You may also want to listen again to the taped segments from **Lecciones 2–6.**

Personas: la abogada, la esposa, el hijo, la mujer, el paciente
Verbos: caminan, desea, hay, regreso, viaja, visita
Enfermedades: la alergia, el dolor, la fiebre, la infección
Cosas y conceptos: los antibióticos, la carta, el consultorio, el diagnóstico, la droga antihistamínica, la garganta, la receta, los síntomas, el tratamiento, la vacuna
Adjetivos: enfermo, hinchado, irritada

Examiné[a] a don Fernando Castillo con su médico de cabecera,[b] Julio Morelos. Julio

_____[1] continuar los _____[2] porque cree que tiene una

_____[3] y yo estoy de acuerdo.[c] Julio _____[4] al _____[5] en casa

porque está muy _____[6] y no desea ir al _____[7] Los _____[8]

eran[d] un _____[9] de cabeza y una _____[10] de 100 grados.[e] También tiene

la _____[11] muy _____[12] constantemente. Julio va a llamar a otro médico

para confirmar su _____[13] y recomendar un _____[14] Es evidente que no

es una _____[15] porque Julio le dio[f] una _____[16] para una

_____[17] y no tuvo[g] efecto. Además de[h] de sus problemas físicos, tiene un problema

emocional. Es que _____[18] un misterio en el pasado[i] de don Fernando y tiene una

_____[19] de una _____[20] española con información sobre[j] su primera

esposa, Rosario. Cree que también tiene un _____[21] allí. Vino[k] una

_____[22] de los Estados Unidos y ahora ella _____[23] en España. Yo

_____[24] el viernes o el sábado.

[a]*I examined* [b]médico... *family doctor* [c]estoy... *I agree* [d]*were* [e]*degrees* [f]le... *gave him* [g]no... *it didn't have* [h]Además... *Besides* [i]*past* [j]*about* [k]*Came*

Nota cultural: Muchas naciones hispánicas tienen sistemas públicos de asistencia (*care*) médica, pero las personas que pagan (*pay*) reciben atención más personal.

LECCIÓN 7

• •

A. Diálogo: Asunción visita el Consultorio Médico Fernández. Study the vocabulary and the advertisement, then listen to the conversation on the cassette tape. You may not understand every word. Here are some unfamiliar words you will hear:

con seguridad	with certainty	junio	June
me hice	I did	seguro	sure
fiable	reliable	la medida	measure
fue	(it) was	temprano	early
mayo	May	completar	to complete

EMBARAZO

- Tratamiento moderno del aborto incompleto y retrasos menstruales sin hospitalizar.
- Ecografías.
- Pruebas de embarazo en 5 minutos.
- Atención de 8 a.m. a 8 p.m. de lunes a domingo.

Calle 36 No. 13A-00 ☎ 2879713 - 2878919 - 2879523.

asofam

VOCABULARIO ÚTIL

el cuidado	care	la prueba	test
la diabetes	diabetes	el resultado	result
el embarazo	pregnancy		
el formulario	form	embarazada	pregnant
el historial médico*	medical history	fatigado/a	tired
la menstruación	menstruation	positivo/a	positive
la muestra	sample	primero/a	first
la orina	urine	último/a	last

Now complete these sentences according to the dialogue.

1. Asunción va al médico porque cree que
    a. necesita antibiótico.
    b. está enferma.
    c. está embarazada.

2. La Sra. Valdez desea otra
    a. prueba de embarazo.
    b. oficina.
    c. muestra de orina.

3. Dice que la prueba positiva es fiable a
    a. los dos días.
    b. las cinco semanas.
    c. las diez de la mañana.

4. Asunción tiene náuseas y también está
    a. irritada.
    b. primera.
    c. fatigada frecuentemente.

5. Hoy la Sra. Valdez tiene que completar
    a. un formulario.
    b. el resultado.
    c. las medidas necesarias.

B. Fill in the blanks with the correct form of conocer or saber.

1. ¿_____ José a la Sra. Valdez? ¿_____ dónde vive?

2. El médico _____ a Asunción y también _____ qué desea.

3. Asunción no _____ si está embarazada y desea _____ con seguridad.

---

*Also: la historia médica

4. El médico ya debe _____ el historial médico de Asunción.

5. Asunción _____ que tiene otros síntomas.

C. Answer the following questions.

1. ¿Qué trae Asunción a la cita con el Dr. Barrera?

   _____

2. ¿Qué dice la prueba de embarazo que se hizo (*she did*)? ¿Por qué desea otra prueba?

   _____

3. ¿Qué síntomas tiene Asunción?

   _____

4. ¿De qué deben hablar Asunción y el médico si ella está embarazada?

   _____

Nota cultural: La diabetes es dos o tres veces (*times*) más (*more*) frecuente entre (*among*) la población méxico-americana que (*than*) entre el resto de la población.

LECCIÓN 8

A. Diálogo: Asunción vuelve y tiene buenas noticias. Study the vocabulary and the drawing, then listen to the conversation on the cassette tape. You may not understand every word. Here are some unfamiliar words you will hear:

las buenas noticias	good news
mayo	May
calcular	to calculate
febrero	February
el cumpleaños	birthday
exacto	exact

VOCABULARIO ÚTIL

el análisis	analysis	el parto	birth, delivery
la ecografía	ultrasound test	el reconocimiento	examination
la enfermera	nurse	la salud	health
la fecha	date (*time*)	la sangre	blood
el feto	fetus	pélvico/a	pelvic
la ginecología	gynecology		
el nacimiento	birth	nacer	to be born

Now complete these sentences according to the dialogue.

1. El doctor pregunta a Asunción cómo
   a. calcular la fecha del parto.
   b. se siente.
   c. va a nacer el niño.

2. El cinco de febrero va a ser
   a. la fecha del parto.
   b. la primera ecografía.
   c. su última menstruación.

3. La Sra. Valdez quiere saber acerca de las otras pruebas como
   a. el embarazo.
   b. el nacimiento.
   c. la ecografía.

4. El doctor primero va a hacerle
   a. una muestra.
   b. un reconocimiento pélvico.
   c. una prueba.

B. Restate the sentences following the model.

MODELO: Asunción *va a sentarse* aquí. → Asunción *se sienta* aquí.

1. Asunción va a recordar la fecha del parto. _____

2. Asunción va a querer hacer preguntas después. _____

3. Los Sres. Valdez van a acordarse de la fecha. _____

4. Se van a empezar las otras pruebas después. _____

5. La Sra. Valdez va a volver al consultorio. _____

C. Answer the following questions.

1. ¿Por qué vuelve al médico Asunción Valdez?

   _____

2. ¿Cuál es la primera pregunta que hace Asunción?

   _____

3. ¿Cuándo va a nacer el hijo? ¿De quién es el cumpleaños ese día?

   _____

4. ¿Cuándo van a hacer la ecografía? ¿Qué va a hacer el médico hoy?

   _____

   _____

Nota cultural: Frecuentemente los hispanos tienen el nombre de un santo (*saint*). El cumpleaños de un bebé puede ser el 5 de febrero, pero si se llama Juan, el día de su santo se celebra el 24 de junio.

LECCIÓN 9

● ●

A. Diálogo: Otras recomendaciones del ginecólogo. Study the vocabulary and the drawing, then listen to the conversation on the cassette tape. You may not understand every word. Here are some unfamiliar words you will hear:

durante	during
antes de	before
segundo	second
tercero	third
fuera de	outside of
complicar	to complicate
determinar	to determine

VOCABULARIO ÚTIL

la alimentación	food, nourishment	nutritivo/a	nutritional
el/la bebé	baby	sano/a	healthy, healthful
el calcio	calcium	adelgazar	to lose weight
la grasa	fat	aumentar	to grow, increase (*in size, weight*)
el hierro	iron	comer	to eat
la libra	pound	engordar	to gain weight
el peso	weight	recetar	to prescribe
el trimestre	trimester		
equilibrado/a	balanced		

Now complete these sentences according to the dialogue.

1. Mucho del peso que se gana antes del parto es
   a. hierro.
   b. el peso del bebé.
   c. el calcio.

2. La madre empieza a aumentar de peso en el segundo
   a. trimestre.
   b. bebé.
   c. mes.

3. La nutrición de la madre determina
   a. si es hijo o hija.
   b. la fecha del nacimiento del bebé.
   c. la salud y el peso del bebé.

4. Las necesidades nutritivas son las normales—
   a. los antibióticos.
   b. una alimentación equilibrada.
   c. aumentar mucho de peso.

5. Si la madre quiere, no hay problema en tomar
   a. vitaminas todos los días.
   b. grasa.
   c. muchas libras.

B. Word families. Complete the sentences with a word related to the indicated word. ¡OJO! There are words from previous lessons.

1. El _____ es un período de *tres meses.*

2. Una persona que siente *fatiga* está _____.

3. Los *alimentos* que consume la persona constituye su _____.

4. Los pacientes generalmente *consultan* al médico en el _____.

5. Cuando van al médico, los pacientes *esperan* en la _____.

6. Para saber el _____ de una prueba, necesitamos saber cómo *resulta.*

7. Cuando una persona se *enferma*, el médico quiere descubrir qué _____ tiene.

8. Si uno *pesa* mucho, generalmente quiere perder _____.

C. Answer the following questions.

1. ¿Qué dice primero el doctor acerca del peso de Asunción?

   _____

2. ¿Cuáles son las recomendaciones acerca de la alimentación?

   _____

3. ¿Por qué no debe engordar fuera de los límites indicados?

   _____

4. ¿Qué minerales necesita Asunción? ¿Qué debe limitar?

   _____

LECCIÓN 10

A. **Diálogo: El ginecólogo y la futura mamá preocupada.** Study the vocabulary and the warning, then listen to the conversation on the cassette tape. You may not understand every word. Here are some unfamiliar words you will hear:

poco	little
el café	coffee
el cambio	change
es mejor	it's better
la razón	reason

> ADVERTENCIA DEL CIRUJANO GENERAL: Fumar Durante el Embarazo Puede Causar Daño Fetal, Parto Prematuro y Reducir el Peso del Recién Nacido.

> **Nota cultural:** Muchos países hispánicos también imponen (*impose*) restricciones en la publicidad de los cigarros (*cigarettes*) o exigen (*they require*) una advertencia.

VOCABULARIO ÚTIL

la articulación	joint	más	more
la droga	drug	serio/a	serious
el ejercicio	exercise		
el grupo sanguíneo	blood type	curar	to cure
la hormona	hormone	dejar de + *inf.*	to quit (*doing something*)
la lesión	injury	evitar	to avoid
la precaución	precaution	fumar	to smoke (*tobacco*)
		tener cuidado	to be careful
común	common		

Now here is a series of questions about the dialogue. Answer as the **ginecólogo** might by completing the verbs in the left-hand column with phrases from the right-hand column.

a. saber su grupo sanguíneo.
b. hacer más fácil el parto.
c. unos problemas del embarazo.

d. afecta al bebé.
e. tener una forma de diabetes.

1. ¿Por qué hacen tantas pruebas?   Podemos evitar _____
2. ¿Qué actividades de la madre afectan al bebé?   Creemos que el fumar _____
3. ¿Debe una futura madre dejar de hacer ejercicio?   No, el ejercicio puede _____
4. ¿Hay enfermedades que afectan a las mujeres embarazadas?   Es posible en el embarazo _____
5. ¿Por qué tienen que venir a la clínica los esposos?   Es importante _____

B. Complete the sentences with the best adjective.

1. La Sra. Valdez está muy (aburrida/contenta).
2. Con las pruebas que van a hacer, pueden evitar problemas (serios/nuevos).
3. Creen que el ejercicio hace el parto más (fácil/largo).
4. Durante el embarazo la madre está más (joven/gordita).
5. Es importante hacer unas pruebas (comunes/pequeñas).

C. Answer the following questions.

1. ¿Por qué no tiene que dejar de fumar Asunción?

   _____

2. ¿Qué dice el médico acerca del ejercicio y el embarazo?

   _____

3. ¿Qué medicinas debe evitar la paciente?

   _____

4. ¿Qué enfermedad afecta a la mujer embarazada?

   _____

Lección 11

A. **Lectura y diálogo: Asunción vuelve a casa con las noticias.** Study the reading, then listen to the conversation that follows it on the cassette tape. Note that unfamiliar words are translated below the reading if their meaning is difficult to guess.

Asunción Valdez descubre que está embarazada. El resultado de la prueba de embarazo que se hizo[1] en casa salió[2] positivo. Lleva una muestra de orina a la sección de ginecología del Consultorio Médico Fernández y el Dr. Barrera le hace otra prueba que también sale positivo. Por[3] la fecha de su última menstruación el médico calcula que el parto va a ser el cinco de febrero. Le hace un reconocimiento pélvico y los dos hablan de las pruebas que le van a hacer después. También hablan de la alimentación equilibrada, el cambio[4] en las hormonas y la salud del bebé. Asunción va a casa para darle las noticias[5] a su esposo.

[1]se... *she did* [2]*turned out* [3]*By* [4]*change* [5]*news*

Now listen to the conversation on the cassette tape.

B. Asunción's mother lives in Chicago, so Asunción writes her a letter with the good news. Complete her letter with the correct form of the words and phrases from the lists. Some words will not be used. Nouns are listed with definite articles, but the articles are not needed to complete the letter. Be sure to review the meaning of all the words before you begin the activity. You may also wish to listen to the taped segments from **Lecciones 7–11** again.

Verbos: buscar, casarse, engordar, nacer, recetar, tener cuidado
Adjetivos: delgado, embarazada, equilibrado, positivo, sano
Cosas y conceptos: la alimentación, la articulación, el cuidado, la diabetes, la ecografía, el embarazo, el formulario, el historial, la hormona, la libra, la menstruación, el parto, la precaución, la prueba, el reconocimiento, el resultado, el síntoma, el trimestre

Querida[a] mamá,

Hoy fui[b] al médico. El Dr. Barrera del Consultorio dice que el _____[1] de la _____[2] de embarazo es _____[3] y la noticia es que estoy _____.[4] El doctor dice que el bebé va a _____[5] en febrero. Como sabes, calculan la fecha del _____[6] desde mi última _____.[7]

Dice que voy a _____[8] —puedo aumentar de 20 a 30 _____[9] pero no hasta[c] el segundo _____.[10] Dice que debo tener una alimentación _____[11] con vitaminas y minerales. Va a _____[12] un suplemento de hierro. Mi _____[13] afecta el bebé.

Sigo haciendo[d] ejercicio pero con _____[14] porque las _____[15] están más susceptibles con los cambios en las _____.[16] Voy a tomar las _____[17] necesarias.

El resultado del _____[18] pélvico también fue[e] favorable y no encuentra problemas. Hay otras pruebas que van a hacer como la _____[19] y una prueba para la _____[20] que puede afectar a las mujeres embarazadas. La amniocentesis sólo se hace después de encontrar _____[21] específicos.

[a]*Dear* [b]*I went* [c]*until* [d]*doing* [e]*was*

Tú puedes ayudarme a contestar[f] unas preguntas acerca de mi _____ [22] médica. Tengo que completar un _____ [23] especial para mujeres embarazadas. Voy a incluir una copia del formulario.

Carlos y yo queremos tener un hijo _____ [24] y voy a _____ [25] durante el _____.[26] Sabemos que el bebé va a ser hermoso y estamos muy contentos.

[f]*answer*

LECCIÓN 12

• • • • • • • • • • • • • • • • • • •

A. Diálogo: Elena vuelve a casa de la Facultad de Medicina. Study the vocabulary and the drawing, then listen to the conversation on the cassette tape. You may not understand every word. Here are some unfamiliar words you will hear:

el atleta	athlete
sin	without
ponerse de a régimen	to go on a diet
el tamaño	size
más que	more than

VOCABULARIO ÚTIL

el ataque cardíaco	heart attack	la obesidad	obesity
la caloría	calorie	la presión arterial	blood pressure
el carbohidrato (complejo)	(complex) carbohydrate	la proteína	protein
		el régimen	controlled diet
el corazón	heart		
la dieta	diet	alto/a	high
la edad	age		
el esqueleto	skeleton	conducir (a)	to lead (to)
el hígado	liver	pesar	to weigh
el músculo	muscle	recomendar (ie)	to recommend

Now complete this summary of Elena's class with words or phrases from the list. Each word or phrase should be used only once, and not all will be used.

a. obesidad
b. mil calorías
c. el ataque cardíaco
d. un régimen especial
e. del esqueleto

f. hígado
g. mucha edad
h. carbohidratos complejos
i. la alta presión arterial
j. no engorda

Hoy Elena empezó una semana de clases acerca de la prevención de enfermedades como

_____.[1] La profesora habló la _____,[2] un problema muy serio hoy.

Conduce a muchas enfermedades del corazón y del _____[3] y también a

_____.[4] Les contó que una mujer de 70 años que pesa 100 libras sólo necesita unas

_____[5] pero que un atleta puede comer cuatro _____.[6] También

comentó la profesora que el peso ideal depende del tamaño _____.[7] Recomendó

una dieta variada con _____.[8]

B. Contesta (*Answer*) las preguntas con el verbo y el pronombre (*pronoun*) apropiados.

MODELO: ¿Quién *contestó la pregunta?* → *La contestaron* los amigos.

1. ¿Quién comentó la nutrición? _____ la profesora.

2. ¿Quién escuchó las palabras de la profesora? _____ Elena.

3. ¿Quién describió la dieta ideal? _____ los expertos.

4. ¿Quién recetó un régimen especial? _____ los médicos.

5. Quién comentó la obesidad como problema? _____ la profesora.

6. ¿Quién recomendó una dieta variada? _____ la profesora.

C. Contesta estas preguntas.

1. ¿Qué problemas se asocian con (*are associated with*) la obesidad?

   _____

2. ¿Cuántas calorías necesita una persona todos los días?

   _____

3. ¿Qué es necesario saber para determinar el peso ideal?

   _____

4. Según (*According to*) la profesora, ¿cuál es la mejor dieta?

   _____

Nota cultural: En el mundo hispánico, como en los Estados Unidos, hay interés en la nutrición. Pero en los lugares en donde hay pobreza (*poverty*) y falta (*lack*) de alimentos, la nutrición es un problema muy serio.

LECCIÓN 13

A. Diálogo: Elena estudió para la clase de nutrición. Study the vocabulary and the excerpt, then listen to the conversation on the cassette tape. You may not understand every word. Here are some unfamiliar words you will hear:

varios — several
quedan dudas — doubts remain

> Una libra de grasa en el cuerpo contiene 3,500 calorías. Para perder una libra de peso, usted necesita quemar 3,500 calorías más de las que consume. Si usted gasta diariamente 500 calorías más de las que consume, rebaja una libra a la semana. De esta forma, si usted normalmente quema 1,700 calorías al día y tiene una dieta de 1,200 calorías diarias, teóricamente espere reducir una libra a la semana.
>
> No intente reducir su peso más abajo de los límites aceptables. Demasiada pérdida de peso puede producir deficiencias nutritivas, irregularidades menstruales, esterilidad, caída del pelo, cambios en la piel, intolerancia al frío, estreñimiento, disturbios psíquicos u otras complicaciones.
>
> Si usted pierde de peso repentinamente o sin razón, consulte a su médico. Las pérdidas de peso inexplicables pueden ser un síntoma adelantado de desórdenes ocultos inesperados.

VOCABULARIO ÚTIL

la angina de pecho	angina pectoris	el depósito	deposit
la arteria	artery	grasiento/a	fatty
el artículo	article	hidrogenado/a	hydrogenated
el ataque cerebral	stroke	saturado/a	saturated
la aterosclerosis	atherosclerosis		
la cantidad	quantity	consumir	to consume
el cerebro	brain	contener (*like* tener)	to contain
la circulación	circulation	reducir	to reduce
el colesterol	cholesterol		

Now complete this summary of Elena's reading with words or phrases from the list. Each word or phrase should be used only once, and not all will be used.

a. un ataque cerebral
b. reducir el colesterol
c. depósitos grasientos
d. la angina de pecho
e. grasas saturadas

f. unos artículos
g. aceite hidrogenado
h. enfermedades de la circulación
i. una dieta variada
j. para el cerebro

Los artículos que leyó Elena comentaron que el colesteral puede conducir a varias

_____.¹ La aterosclerosis conduce a _____² y posiblemente a

_____.³ Esta enfermedad es el resultado de la acumulación de _____⁴ en

las arterias. Es necesario reducir la cantidad de _____⁵ que consuminos. Cuando

dice que un producto no tiene colesterol, es necesario saber si contiene _____⁶ que también no se recomienda. Unos artículos dicen que el consumir mariscos es bueno

_____[7] y que la Omega-3 puede_____,[8] pero quedan muchas dudas

acerca de estas ideas.

B. Escribe (*Write*) la forma apropiada del verbo, y si es necesario, el pronombre (*pronoun*) para contestar o hacer las preguntas.

MODELOS: *¿Visitaste* la universidad? → Sí. *La visité* por la mañana.

Estudié el artículo. → *¿Lo estudiaste* anoche?

1. ¿Me encontraste en la foto? —Sí. _____ en la foto.

2. ¿Hoy comiste mucho grasa saturada? —Sí. _____ cuando desayuné.

3. Consumí mucho pescado. —¿_____ cuando viajaste a California?

4. Recomendé una dieta equilibrada. —Pero, ¿_____ a todos?

5. ¿Descubriste un producto con aceite Omega-3?—Sí. _____ ayer.

6. Te vi en la clase. —Entonces (*So*), ¿_____ en la clase de nutrición?

7. ¿Me recordaste por la tarde? —Sí. _____ cuando leí ese artículo.

C. Contesta (*Answer*) estas preguntas.

1. ¿Qué artículos estudió Elena hoy?

_____

2. ¿De qué viene la aterosclerosis? ¿A qué problemas conduce?

_____

_____

3. ¿Cómo se pueden evitar las enfermedades de las arterias?

_____

4. ¿Qué precaución debe tomar una persona con la alimentación?

_____

Nota cultural: Parte de la población (*population*) hispánica vive cerca del mar (*sea*). Por eso, el pescado y los mariscos son alimentos de muchísima importancia en su dieta diaria.

LECCIÓN 14

A. Diálogo: Una conferencia en la clase de nutrición. Study the vocabulary and the excerpt, then listen to the lecture on the cassette tape. You may not understand every word. Here are some unfamiliar words you will hear:

asociado	associated
la cuestión	matter
mejor	better
el hecho	fact
mayor	greater

> *Hay controversia en cuanto a las recomendaciones apropiadas para personas saludables, pero para la población estadounidense en general,* es importante reducir las grasas y el colesterol en los alimentos y esto se recomienda aún más para personas con alta presión o que fuman.

VOCABULARIO ÚTIL

el alimento	food	epidemiológico/a	epidemiological
el aparato digestivo	digestive system	estadístico/a	statistical
el cáncer	cancer	saludable	healthy, wholesome
el colon	colon	vegetariano/a	vegetarian
el esófago	esophagus		
el estómago	stomach	digerir (ie, i)	to digest
el páncreas	pancreas	proveer	to provide
		utilizar	to use

All of the following statements are false, according to the interview. Can you correct them?

1. En la clase de nutrición aprendieron los elementos del aparato digestivo.
2. También hablaron de unas enfermedades asociadas con una dieta vegetariana.
3. Las proteínas de la carne no se digieren fácilmente.
4. La dieta típica en los Estados Unidos necesita más grasa saturada.
5. La relación de la carne y el cáncer se ve en la vida diaria.
6. Los médicos siempre recomiendan una dieta vegetariana.

B. Contesta las preguntas con el verbo y, si es necesario, el pronombre apropiado.

MODELO: *¿Examinaron* Uds. *el esófago?* → Sí. *Lo examinamos* primero.

1. ¿Recomendaron el régimen? —Sí. _____ el año pasado.

2. ¿Describieron la dieta? —Sí. _____ en la última clase.

3. ¿Vieron los artículos? —Sí. _____ anoche en casa.

4. ¿Utilizaron muchas vitaminas? —Sí. _____ muchísimas.

5. ¿Consumieron mucha carne? —Sí. _____ desde niños.

6. ¿Estudiaron el cáncer del colon? —Sí. _____ en el primer mes.

7. ¿Comieron alimentos saludables? —Sí. _____ siempre.

C. Contesta estas preguntas.

1. ¿De qué enfermedades asociadas con la obesidad habló la profesora?

   _____

2. ¿Qué elementos importantes provee la carne a la dieta?

   _____

3. ¿Cómo son diferentes las varias proteínas?

    _____

4. ¿Qué efectos negativos de la carne se ven en las investigaciones epidemiológicas?

    _____

Nota cultural: En las regiones pobres (*poor*) del mundo hispánico, la combinación de frijoles (*beans*) y arroz o maíz (*corn*) provee proteínas completas porque la carne es muy cara.

LECCIÓN 15

• • • • • • • • • • • • • • • • •

A. Diálogo: Los beneficios de la fruta fresca. Study the vocabulary and the drawing, then listen to the conversation on the cassette tape. You may not understand every word. Here are some unfamiliar words you will hear:

dulce   sweet
algunas some

VOCABULARIO ÚTIL

el azúcar	sugar	**la sucrosa***	sucrose
el beneficio	benefit	**la úlcera**	ulcer
la caries	cavity (*in a tooth*)	**el valor**	value
la fibra	fiber		
la fructosa	fructose	**procesar**	to process
la insulina	insulin	**sufrir (de)**†	to suffer (from)
el remedio	remedy		

Now complete these sentences according to Elena's report.

1. _____ La fruta es saludable porque provee
2. _____ No es más saludable pero es más dulce
3. _____ La fructosa es mejor para las personas
4. _____ La sucrosa o azúcar refinado
5. _____ Las bananas pueden curar
6. _____ Las cerezas ayudan a evitar

a. que sufren de diabetes
b. las úlceras de estómago
c. las caries dentales
d. vitaminas, minerales y fibra
e. la fructosa de la fruta
f. no tiene valor nutritivo

B. Contesta según el modelo.

MODELO: ¿Qué le dijo Ud.? (*que la fructosa es más dulce*) → Le dije *que la fructosa es más dulce.*

1. ¿Qué le mandó Ud.? (el remedio)

    _____

2. ¿Qué le trajeron Uds.? (la insulina)

    _____

3. ¿Qué le preguntó Ud.? (cuál era más saludable)

    _____

4. ¿Qué le dieron Uds.? (las vitaminas)

    _____

---

*Also: **la sacarosa**
†Also: **padecer (de)**

5. ¿Qué les dijeron Uds.? (el valor de la fruta)

_____

6. ¿Qué le molestó? (las caries dentales)

_____

C. Contesta estas preguntas.

1. ¿Por qué es buena la fruta para las personas que sufren de diabetes?

_____

2. ¿Qué beneficios ofrecen (*offer*) las bananas y las cerezas?

_____

3. ¿Qué elementos nutritivos tiene la fruta?

_____

4. ¿Qué frutas pueden reducir el colesterol?

_____

Nota cultural: Algunas naciones hispánicas tropicales producen mucha caña (*cane*) de azúcar. Cuando los niños mastican (*chew*) la caña cruda (*raw*), frecuentemente sufren numerosas caries dentales.

LECCIÓN 16

• •

A. Diálogo: Más alimentos saludables: las legumbres. Study the vocabulary and the drawing, then listen to the conversation on the cassette tape. You may not understand every word. Here are some unfamiliar words you will hear:

hecho	made
integral	whole
la mitad	half
significar	to mean
menos	less

VOCABULARIO ÚTIL

el almidón	starch		**crónico/a**	chronic
la diverticulosis	diverticulosis		**entero/a**	whole
el cereal	grain		**indigestible***	indigestible
la energía	energy		**intestinal**	intestinal
el estreñimiento	constipation			
el estudio	study		**aportar**	to contribute, add
la onza	ounce			
el riesgo	risk			

Now complete these sentences according to Elena's report.

1. La fibra es la parte
   a. nutritiva de las legumbres.
   b. indigestible de unos alimentos.

2. Según unos estudios, la fibra
   a. reduce el riesgo de cáncer del colon.
   b. conduce al estreñimiento crónico.

3. La fibra es buena para
   a. las enfermedades intestinales.
   b. aportar muchas calorías a la dieta.

4. Se encuentra la fibra en
   a. los cereales enteros.
   b. los almidones.

5. Un beneficio de las legumbres es que
   a. no tienen calorías.
   b. aportan almidón y no muchas calorías.

6. Las papas son buenas porque no tienen muchas calorías
   a. y son cereales enteros.
   b. pero son muy nutritivas.

---

*Also: **no digerible**

B. Contesta según el modelo.

MODELO: ¿Comprendió Elena el artículo? (*No/poder*) → *No. No pudo* comprender*lo*.

1. ¿Escribiste la descripción? (Sí/hacerla ayer)

   _____

2. ¿Habló Elena con la profesora? (Sí/ir por la mañana)

   _____

3. ¿Qué alimento aportó la fibra? (la fibra/venir del cereal)

   _____

4. ¿Qué pasó con las verduras? (yo/ponerlas aquí)

   _____

5. ¿Le diste muchas legumbres? (No/querer comerlas)

   _____

6. ¿Cuándo aprendiste su nombre? (saberlo/la semana pasada)

   _____

C. Contesta estas preguntas.

1. ¿Qué aportan las legumbres a la dieta?

   _____

2. ¿En qué alimentos se encuentra la fibra?

   _____

3. ¿Qué otro nombre tienen los carbohidratos complejos?

   _____

4. ¿Qué alimentos tienen almidón?

   _____

Nota cultural: La papa se originó en el Perú en la época de los incas. Los españoles la llevaron a Europa en el siglo XVI (*1500s*). Hoy es un alimento básico en todo el mundo, especialmente en la región andina (*Andean*).

LECCIÓN 17

A. Diálogo: Otras ideas acerca de la nutrición. Study the vocabulary and the drawing, then listen to the lecture on the cassette tape. You may not understand every word. Here are some unfamiliar words you will hear:

único	only	**la sensación**	feeling
los deportes	sports	**funcionar**	to function
montar en bicicleta	to ride a bicycle	**cualquier**	any
el baile	dance		

VOCABULARIO ÚTIL

el bienestar	well-being	**la resistencia**	endurance
el cuerpo	body	**aeróbico/a**	aerobic
el estrés	stress	**sedentario/a**	sedentary
la frecuencia	rate	**sicológico/a***	psychological
el metabolismo	metabolism		
el órgano	organ	**elevar**	to raise
el oxígeno	oxygen	**fortalecer**	to strengthen
el pulmón	lung	**mejorar**	to improve
el pulso	pulse		

Now complete this summary of the lecture with words or phrases from the list. Each word or phrase should be used only once, and not all will be used.

a.	la frecuencia del pulso	f.	los pulmones
b.	la resistencia del cuerpo	g.	el estrés
c.	el metabolismo	h.	oxígeno
d.	sedentaria	i.	ejercicios aeróbicos
e.	bienestar	j.	órganos

El ejercicio es muy importante para las personas como los escritores que llevan una vida

_____.[1] El ejercicio mejora la condición física y _____.[2] Otro efecto es

reducir _____[3] del día. Los deportes, el jogging y montar en bicicleta son

_____[4] que elevan _____.[5] Este ejercicio fortalece _____[6] y

otros _____[7] que proveen al cuerpo de _____.[8] También se cree que

ayuda a adelgazar porque tiene efecto en _____.[9]

_____

*Also: **psicológico/a**

B. Contesta según el modelo.

MODELO: ¿Quién *buscó el estudio?* → Yo *lo busqué.*

1. ¿Comenzaste el baile aeróbico? —Sí. Ayer, yo _____

2. ¿Empezaste el ejercicio? —No, pero Juan _____.

3. ¿Te divertiste ayer? —No, pero ella _____.

4. ¿Conseguiste la insulina? —No, pero mi hermano _____.

5. ¿Quién pidió el oxígeno? —Yo _____.

6. ¿Preferiste su primer remedio? —Yo no, pero Elena _____.

7. ¿Pagaste el tratamiento? —Sí. Yo _____.

C. Contesta estas preguntas.

1. ¿Es la nutrición la única necesidad para la salud?

   _____

2. ¿Qué actividades son buenas para hacer ejercicio?

   _____

3. ¿Cómo se consigue el beneficio aeróbico?

   _____

4. ¿Qué efecto tiene el ejercicio en el metabolismo?

   _____

Nota cultural: En español, los nombres de muchos deportes y ejercicios vienen del inglés: el golf, el tenis, el fútbol, el footing o el jogging, el béisbol, el esquí.

Lección 18

· ·

A. Las personas que trabajan en el área de la salud saben muchas palabras. ¿Las sabes? Escribe la letra de la palabra junto a su definición.

a. el corazón   b. la edad   c. el cerebro   d. la aterosclerosis   e. saturada   f. el estómago
g. vegetariana   h. la fibra   i. la fructosa   j. el riesgo   k. el almidón   l. el pulmón   m. la obesidad   n. saludable   o. mejorar

1. _____ otro nombre para carbohidrato complejo
2. _____ el órgano central del sistema de circulación
3. _____ la posibilidad de sufrir una enfermedad
4. _____ el número de años de vida que ya tiene una persona
5. _____ la parte indigestible de las verduras y cereales
6. _____ el órgano central del sistema nervioso
7. _____ una dieta que consiste sólo en verduras y legumbres
8. _____ una enfermedad de las arterias
9. _____ el azúcar que contiene la fruta
10. _____ característica de la grasa que tiene colesterol
11. _____ bueno para la salud
12. _____ el órgano central del aparato digestivo
13. _____ el órgano central de la respiración
14. _____ hacer mejor
15. _____ la condición de tener peso excesivo

B. Elena tiene que escribir sus impresiones de la clase de nutrición. Completa su resumen con la forma apropiada de palabras de la lista.

Verbos: conducir, consumir, reducir
Sustantivos: la arteria, la caloría, el colesterol, el depósito, la dieta, el régimen, la vitamina
Adjetivos: cardíaco, hidrogenado, saludable, saturado

Aprendimos mucho en la clase. La profesora nos habló de la relación entre la nutrición y la salud. No es una cosa fácil de ver. La obesidad puede _____[1] a un ataque _____[2] y tiene su base en la nutrición. No es problema de _____[3] y minerales sino[a] de _____[4] alimentos _____[5] y de _____[6] la cantidad de _____[7] que se consume. El mejor _____[8] para perder peso es una _____[9] equilibrada pero con menos[b] calorías.

Hay un elemento de la dieta que posiblemente puede conducir a enfermedades de las _____:[10] la grasa _____[11] o la grasa no saturada pero _____.[12] Esta sustancia eleva el _____[13] en la sangre y deja _____[14] en las arterias que reducen el fluir[c] de la sangre. ¡Es bueno tener cuidado con los alimentos que consumimos!

[a]*but*   [b]*fewer*   [c]*flow*

LECCIÓN 19

• • • • • • • • • • • • • • • • • • • •

A. Diálogo: Celia lleva a don Jesús a la sala de urgencias. Study the vocabulary and the drawing, then listen to the conversation on the cassette tape. You may not understand every word.

VOCABULARIO ÚTIL

el brazo	arm	**la sala de urgencias**	emergency room
la camilla	stretcher	**con urgencia**	urgently
el costado	side (*of body*)	**mareado**	dizzy
los datos	data, facts		
la espalda	back	**desmayarse**	to faint
el hombro	shoulder	**doler (ue)**	to hurt, ache
la mano	hand	**quejarse**	to complain
el pecho	chest		

Now here is a series of questions about the dialogue. Circle the letter of the correct answer. Any number, or all, or none, of the answers may be correct.

1. ¿Qué le pasó a don Jesús?
   a. Se murió. b. Se sentía mareado. c. Le dolía el hombro. d. Se sentía bien. e. Le dolía mucho la pierna.

2. ¿Qué hizo Celia cuando empezó a sentirse mal don Jesús?
   a. Lo llevó a casa. b. Preguntó dónde estaba la sala de urgencias. c. Llamó al médico.
   d. Siguió todo derecho. e. Lo llevó al hospital.

3. ¿Qué sentía don Jesús cuando llegaron al hospital y qué pasó?
   a. Le dolían el brazo y el costado. b. Se quejaba de un dolor de cabeza. c. Sentía un peso en el pecho. d. Se fue a casa. e. Se desmayó Celia.

4. ¿Qué le dijo el enfermero a Celia?
   a. Voy a ponerlo en la camilla. b. Voy a examinarlo de urgencia. c. Usted debe ir al hospital. d.Usted puede subir la escalera. e. Tiene que darle unos datos a la recepcionista.

5. ¿Qué información le de Celia al enfermero?
   a. Que don Jesús no tomaba medicinas. b. Que no estaba enfermo del corazón. c. Que sufrió mucho cuando murió su esposa. d. Que tenía dolores en la espalda. e. Que tuvo una operación el año pasado.

B. Escribe la forma apropiada del verbo. Usa el imperfecto.

1. Don Jesús dijo que (a) él

   (estar) _____ mareado.

   (dolerle) _____ el hombro.

   (sentir) _____ un peso en el pecho.

   (sufrir) _____ de un dolor en el costado.

2. Celia dijo que ella y don Jesús

(buscar) _____ la sala de urgencias.

(estar) _____ cerca del hospital.

(tener) _____ mucha suerte cuando pidieron direcciones.

(saber) no _____ qué le pasaba a don Jesús.

C. Contesta estas preguntas.

1. ¿Qué pasó mientras don Jesús y Celia estaban en la calle?

   _____

2. ¿Qué y a quién le preguntó Celia?

   _____

3. ¿Adónde fueron Celia y don Jesús y cómo llegaron?

   _____

4. ¿Qué hizo el enfermero y qué le preguntó a Celia?

   _____

LECCIÓN 20

A. Diálogo: Celia interna a su suegro en el hospital. Study the vocabulary and the drawing, then listen to the conversation on the cassette tape. You may not understand every word. Here are some unfamiliar words you will hear:

últimamente lately
actualmente currently

VOCABULARIO ÚTIL

la caída	fall	**cercano/a**	close, near
el hueso	bone	**mortífero/a**	fatal
la interacción	interaction	**rígido/a***	stiff
la muñeca	wrist		
el oído	inner ear	**confirmar**	to confirm
el/la pariente más cercano/a	next of kin	**internar**	to hospitalize, admit
la penicilina	penicillin		(*to a hospital*)
la perturbación	confusion, upset	**romperse**	to break
la pierna	leg		

Now here is a series of questions about the dialogue. Circle the letter of the correct answer. Any number, or all, or none, of the answers may be correct.

1. ¿Qué quiere saber la recepcionista de la sala de urgencias?
   a. El nombre del paciente.   b. Los apellidos del paciente.   c. Quién es Celia.   d. Si es una pariente cercana.   e. Si don Jesús toma alguna medicina.

2. ¿Qué información le dio Celia acerca de la medicina?
   a. Que nunca habló de alergias.   b. Que tomaba muchas aspirinas.   c. Que antes del ataque no tomaba medicina.   d. Que le recetaron penicilina el año pasado.   e. Que tenía dolores.

3. ¿Qué enfermedades sufrió don Jesús últimamente?
   a. Tuvo problemas con el corazón.   b. Tiene una nuera y un yerno.   c. Tiene muchas alergias.   d. Tuvo una infección en el oído.   e. Se rompió un hueso de la muñeca.

4. ¿Por qué hace la recepcionista tantas preguntas?
   a. Porque tiene interés en la familia.   b. Porque quieren evitar interacciones entre medicinas.   c. Porque don Jesús sufre de una perturbación mental y no responde al médico.   d. Quieren confirmar la situación.   e. Quieren darle una receta.

5. ¿Qué piensa hacer después la recepcionista?
   a. Mandar a don Jesús al Consultorio Fernández.   b. Darles medicina a los otros parientes.   c. Quejarse de un dolor en la pierna.   d. Sufrir de una perturbación mental si no le dan los datos.   e. Romperse un hueso de la muñeca.

---

*Also: **tieso/a**

B. Escribe la forma apropiada del verbo. Usa el imperfecto.

1. Celia: «Le dije a la recepcionista que yo

    (querer) _____ internar a mi suegro.»

    (necesitar) _____ llamar al hijo de don Jesús.»

    (saber) no _____ si mi suegro tomaba alguna medicina.»

    (creer) _____ que no tenía alergias.»

2. Celia a Víctor: «Le dije a la recepcionista que tú

    (estar) _____ en casa.»

    (ir) _____ a venir dentro de una hora.»

    (poder) _____ darle más datos.»

    (vivir) _____ con don Jesús.»

C. Contesta estas preguntas.

1. ¿Qué hizo Celia después de dejar a don Jesús?

   _____

2. ¿Qué información le dio Celia acerca de la familia de don Jesús?

   _____

3. ¿Por qué quería saber la recepcionista si tenía alergias?

   _____

4. ¿Por qué no consiguió los datos directamente de don Jesús?

   _____

Nota cultural: En español hay otros nombres para parientes que no existen en inglés: mi *concuño* or *concuñado* es el esposo de la hermana de mi esposa; mi *comadre* o *compadre* es la madrina (*godmother*) o el padrino (*godfather*) de mis hijos.

LECCIÓN 21

• •

A. Diálogo: Un caso de insolación y quemaduras de sol. Study the vocabulary and the drawing, then listen to the conversation on the cassette tape. You may not understand every word. Here are some unfamiliar words you will hear:

discúlpeme	excuse me
adentro	inside
bronceada	tanned
sacrificar	to sacrifice
la vanidad	vanity

VOCABULARIO ÚTIL

la crema antisolar	sunscreen		**caliente**	hot
el daño	harm; damage		**débil**	weak
la deshidratación	dehydration		**quemado/a**	sunburned; burned
la insolación	heatstroke		**seco/a**	dry
el líquido	liquid			
la piel	skin		**atender (ie)**	to assist, attend to
la quemadura	burn		**delirar**	to be delirious
la respiración	breathing		**refrescar**	to cool (off); to refresh
la silla de ruedas	wheelchair		**reponerse**	to recover

All of the following statements are false according to the dialogue. Can you correct them?

1. Celia va a ir a casa para hablar con los parientes de don Jesús.
2. La señorita que entra en la sala de espera tiene una insolación.
3. La hermana de la señorita tomó muchos líquidos.
4. La recepcionista va a mandar a Celia con una silla de ruedas para traer a la enferma.
5. El remedio más importante es ponerle una crema antisolar inmediatamente.

B. Escribe la forma apropiada del verbo. Usa el imperfecto.

1. La señorita llegó a la sala y dijo: «Mi hermana y yo

    (tomar) _____ el sol.»

    (querer) _____ estar bronceadas.»

    (esperar) _____ la hora de comer.»

    (saber) no _____ el daño que podía hacer.»

2. La recepcionista le dijo a la señorita que

    (deben) no _____ pasar tanto tiempo en el sol.

    (tener) _____ que tener más cuidado.

    (necesitar) _____ utilizar una crema antisolar.

    (poder) no _____ sacrificar su salud por la vanidad.

C. Contesta estas preguntas.

1. ¿Por qué quiere Celia hablar con el enfermero?

   _____

2. ¿Qué tiene la hermana de la joven que entra?

   _____

3. ¿Qué síntomas tiene la hermana enferma?

   _____

4. ¿Qué consejos (*advice*) le da la recepcionista a la señorita?

   _____

Nota cultural: En el mundo hispánico utilizan la escala Celsio (centígrada). La temperatura normal del cuerpo es 37°. Una fiebre de 102° F. equivale a 38,9° C. Los 104° F. son 40° C.

LECCIÓN 22

• •

A. Diálogo: Sala de urgencias: una quemadura seria. Study the vocabulary and the drawing, then listen to the conversation on the cassette tape. You may not understand every word. Here are some unfamiliar words you will hear:

la parrilla	grill
chocar	collide
cayó	he/she/it fell
encima	on top of
el fuego	fire
quedar	to remain

VOCABULARIO ÚTIL

la cicatriz	scar		externo/a	external
la cirugía plástica	plastic surgery		interno/a	internal
la frente	forehead		intravenoso/a	intravenous
el grado	degree			
la oreja	ear		administrar	to administer
el tercio	(one-)third		estar mal	to be ill
			incendiarse	to catch fire
la traqueotomía	tracheotomy		inhalar	to inhale
			quemarse	to burn oneself
por vía intravenosa	intravenously		respirar	to breathe

Now here is a series of sentences. Write the letter corresponding to who said or might have said each: **M = el médico, O = Oñate, N = nadie.**

1. _____ Su hijo tiene quemaduras de segundo grado.

2. _____ El niño está muy mal; sufrió daño en los pulmones.

3. _____ Las quemaduras no eran muy serias.

4. _____ ¿Qué tratamiento va a necesitar ahora?

5. _____ Tenemos que evitar la infección con antibióticos por vía intravenosas.

6. _____ Las cicatrices pueden necesitar cirugía plástica.

B. Y así (*thus*) era. Escriba la forma correcta del verbo. Usa el imperfecto.

Un día nosotros _____[1] (ir) a preparar carne en la parrilla en el patio.

_____[2] (ser) un día hermoso. Yo _____[3] (ver) que los niños

_____[4] (correr) por el patio pero el peligro (*danger*) no _____[5] (ser)

evidente. Pero ellos no _____[6] (saber) que la parrilla _____[7] (estar) en el

patio.

C. Contesta estas preguntas.

1. ¿Cómo era el accidente que tuvo el niño enfermo?

   _____

2. ¿Qué sufrió el niño?

   _____

3. ¿Qué tratamiento le van a aplicar?

   _____

4. ¿Dónde tiene las quemaduras más serias y qué pueden quedar?

   _____

Nota cultural: En el mundo hispánico es común que vengan muchos miembros de la familia y muchos amigos a visitar al enfermo. A veces esta costumbre produce un ambiente (*atmosphere*) casi festivo en el cuarto del enfermo.

Lección 23

A. Diálogo: Sala de urgencias: un envenenamiento. Study the vocabulary and the brochure, then listen to the conversation on the cassette tape. You may not understand every word. Here are some unfamiliar words you will hear:

las noticias	news
a su alcance	within her reach
el lirio del los valles	lily of the valley
fijarse en	to notice

VOCABULARIO ÚTIL

la boca	mouth
el envenenamiento	poisoning
el insecticida	insecticide
el jarabe de ipecacuana	ipecac syrup
la lengua	tongue
la planta	plant
la sustancia*	substance
el veneno	poison
tóxico/a	toxic, poisonous
venenoso/a	poisonous
alcanzar	to reach
envenenar(se)	to poison (oneself)
ingerir (ie, i)	to ingest
vomitar	to vomit
¡Socorro!	Help!

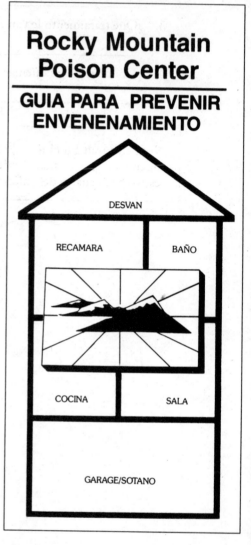

Now here is a series of sentences. Write the letter corresponding to who said or might have said each: **C = Celia, R = la recepcionista, M = la madre, N = nadie.**

1. _____ ¿Puedo hablar con el médico acerca de mi suegro?

2. _____ Mi niña jugaba en el jardín y se envenenó. ¡Socorro!

3. _____ Los insecticidas no estaban a su alcance pero comió algunas de estas hojas.

4. _____ Hay muchas plantas tóxicas y es necesario tener mucho cuidado con los niños.

5. _____ No estaba segura si debía hacerle vomitar o no.

6. _____ Es imposible saber qué veneno ingirió.

---

*Also: la substancia

B. Las notas de la recepcionista. Write the appropriate form of the verb in parentheses. Use the preterite of the first verb and the imperfect of the second.

1. _____ (Entrar) una madre con una niña que _____ (estar) enferma.

2. (Yo) Le _____ (preguntar) qué _____ (tener) la niña.

3. _____ (Desmayarse) cuando _____ (estar) jugando en el jardín.

4. _____ (Envenenarse) con una hojas que _____ (hay) en el jardín.

5. Yo le _____ (decir) que _____ (ser) necesario tener cuidado con las plantas tóxicas.

C. Contesta estas preguntas.

1. ¿Qué pasa con don Jesús ahora?

   _____

2. ¿Qué problema tiene la niña?

   _____

3. Según la madre, ¿qué sustancia tóxica ingirió la niña?

   _____

4. ¿Por qué no llamó la madre al Centro de Control de Envenenamiento?

   _____

Nota cultural: Algunos países hispánicos están en la zona tropical. En esos países, que incluyen las islas del Caribe, la América Central y el área del Río Amazonas, hay muchas plantas tóxicas.

LECCIÓN 24

A. **Diálogo: Sala de urgencias: accidente en la excavación.** Study the vocabulary and the advertisement, then listen to the conversation on the cassette tape. You may not understand every word. Here are some unfamiliar words you will hear:

el edificio	building
el andamiaje	scaffolding
el obrero	workman
la altura	height

VOCABULARIO ÚTIL

el cardiólogo/la cardióloga	cardiologist	la rodilla	knee
el cráneo	skull	el tobillo	ankle
el golpe	blow		
el herido/la herida	injured person	destrozado/a	smashed, shattered
la herida	wound, injury	grave	very serious; in critical condition
el neurólogo/la neuróloga	neurologist	herido/a	injured
la ortopedia	orthopedics	roto/a*	broken, fractured
el peligro	danger		
el radiólogo/la radióloga	radiologist	de turno	on call

Now here is a series of sentences. Write the letter corresponding to who said or might have said each: C = Celia, M = el médico, R = la recepcionista, N = nadie.

1. _____ Doctor, ¿quién me puede hablar acerca de mi suegro?

2. _____ Perdón, señora, pero su suegro no está aquí.

3. _____ Hubo un accidente en un edificio en construcción.

4. _____ Su suegro está fuera de peligro.

5. _____ Supimos del accidente cuando llegaron unos diez heridos.

6. _____ Creo que el suegro de la señora tuvo un ataque cardíaco.

B. **¡Qué día tuve!** Write the correct form of the verb in parentheses in either the preterite or imperfect, as appropriate.

Cuando la ambulancia _____¹ (traer) diez heridos al hospital, yo _____²

(saber) que _____³ (hay) un accidente en un edificio en construcción. Nosotros

_____⁴ (querer) llamar a más médicos porque necesitábamos ayuda, pero no

_____⁵ (poder) encontrarlos. Yo _____⁶ (conocer) a la nuera del paciente

don Jesús, pero no _____⁷ (querer) hablar con ella todavía.

_____
*Also: fracturado/a

C. Contesta estas preguntas.

1. ¿Qué información recibe Celia acerca de don Jesús?

   _____

2. ¿Dónde hubo un accidente y cuántos heridos tienen en la clínica?

   _____

3. ¿Qué tiene que hacer la recepcionista?

   _____

4. ¿Por qué tienen que llamar al neurólogo?

   _____

Lección 25

A. Diálogo: Llega Víctor a la sala de urgencias. Study the vocabulary and the drawing, then listen to the conversation on the cassette tape. You may not understand every word. Here are some unfamiliar words you will hear:

querida	dear
seguro	sure
agitarse	to get worked up

B. La recepcionista sabe muchas palabras especializadas. Completa las definiciones con la forma apropiada de palabras de la lista.

atender	la deshidratación	la insolación	la perturbación	romperse
la caída	desmayarse	mareado	la quemadura	socorro
la camilla	doler	mortífero	un radiólogo	tercio
la cicatriz	envenenar	el ortopedista	respirar	el veneno
débil	ingerir	el peligro	rígido	vomitar

1. Tomar aire con los pulmones es _____.

2. Una sustancia que causa daño si uno la ingiere es un _____.

3. Tomar o comer algo también es _____lo.

4. Una sustancia tóxica puede _____ a una persona.

5. Si uno sufre una caída puede _____ un hueso.

6. La combinación de algunas medicinas puede resultar _____.

7. Cuando uno está fatigado se siente _____.

8. Si uno pierde mucha agua sufre _____.

9. Cuando un enfermo ya no se muere, está fuera de _____.

10. En caso de una emergencia es necesario pedir _____.

11. Para llevar a un enfermo a la ambulancia se utiliza una _____.

12. Uno puede estar enfermo de la cabeza si se siente _____.

13. Se pierde la conciencia al _____.

14. Siempre va a _____ cuando se rompe una pierna.

15. Si uno baja la escalera sin control puede tener una _____.

16. La confusión que se siente al enfermarse se llama _____.

17. Si la muñeca sufre algún daño puede quedar un poco _____.

18. Si se toma mucho sol se puede sufrir _____ en la piel.

19. Cuando hace muchísimo calor, la actividad puede causar una _____.

20. Después de sufrir quemaduras generalmente quedan _____.

21. Si el estómago no acepta la comida, uno tiene que _____.

22. Si dividimos una cosa en tres partes, cada (*each*) parte es un _____.

23. El especialista que toma rayos X se llama un _____.

24. Un enfermero tiene que _____ a las personas enfermas.

25. El _____ es el médico que ayuda con problemas de los huesos.

Lección 26

• •

A. ¿Qué pasó? Complete the sentences with the appropriate past tense of the verb and the body part indicated in the drawing by the number of the sentence.

1. Cuando don Jesús llegó al hospital le _____ (doler) el

   _____.

2. Durante toda la semana _____ (quejarse) de un dolor

   de _____.

3. Ayer un obrero _____ (recibir) una herida en la

   _____.

4. El lunes María _____ (sufrir) un ataque al _____.

5. Después de comer unas hojas la niña _____ (enfermarse) del _____.

6. El médico le _____ (recetar) medicina para los _____.

7. Cuando era niño siempre _____ (estar) enfermo del _____.

8. Elena supo ayer que su padre _____ (tener) cáncer del _____.

9. Hacía mucho frío y ella _____ (sentirse) mal de la _____.

10. Linda _____ (correr) por el parque cuando se cayó y _____ (romperse)

    la _____ izquierda.

B. Especialistas. Several medical specialists make statements relating to their cases. Write the number of the statement next to the appropriate specialist.

1. Voy a examinarle el hueso roto de la pierna.
2. Tengo que tomar unos rayos X de los pulmones.
3. El golpe en la cabeza le causó daños serios en el cerebro.
4. El problema más importante que tiene es la angina de pecho.
5. Tengo que examinarle los ojos porque están irritados.
6. Esta señora cree que está embarazada. Voy a hacerle una prueba.

a. _____ el/ la neurólogo/a
b. _____ el/la oftalmólogo/a
c. _____ el/la radiólogo/a
d. _____ el/la cardiólogo/a
e. _____ el/la ginecólogo/a
f. _____ el/la ortopedista

C. Completa este resumen de la experiencia de Celia con la forma apropiada de palabras y frases de la lista.

Verbos: doler, ingerir, internar, quejarse, quemarse, respirar
Sustantivos: el ataque cardíaco, el costado, la camilla, la cicatriz, la herida, la insolación, la sala de urgencias, las quemaduras
Adjetivos y otras palabras: fuera de peligro, mareado, tóxico

Celia y don Jesús estaban en la calle cuando don Jesús _____ [1] de un dolor en el

hombro. También se sentía _____ [2] Celia lo llevó a una _____ [3] que

estaba cerca. Un enfermero puso a don Jesús en una _____ [4] y Celia fue a la

recepcionista para _____ [5] a su suegro. Mientras esperaba Celia, llegaron otros

pacientes al hospital. La hermana de una señorita sufría de una _____ [6] y de

_____ [7] de sol. Un niño _____ [8] en un accidente con la parrilla en su casa.

Una niña se comió una hojas _____[9] y se envenenó. Después llegaron diez obreros con varias _____[10] serias. Por fin llegó Víctor, el esposo de Celia, y el médico les dijo que don Jesús sufrió un _____[11] pero que ya estaba _____.[12] Iba a tener que quedarse en el hospital por un tiempo.

LECCIÓN 27

• •

A. Lectura y diálogo: Camila y Elenita visitan a la pediatra. Study the vocabulary and the reading, then listen to the conversation on the cassette tape. You may not understand every word. Here are some unfamiliar words you will hear:

cada	each	**la bolsa**	bottle
diario	daily	**observar(la)**	to observe (her)
medio	one-half		

DRA. PEÑA: Para las madres nuevas es difícil la cuestión[1] de cuándo deben llamar al médico y cuándo el bebé sólo tiene un problema menor.[2] En parte es cuestión de saber qué es «normal» y qué no lo es. Eso es difícil de definir porque la normalidad abarca[3] muchas cosas. El bebé aumentará de peso en el primer mes, pero algunos aumentan más que otros. Comen cinco o seis veces al día, pero la leche materna se digiere más rápidamente que la fórmula. Así el niño que amamanta comerá con más frecuencia. Los niños lloran mucho, pero frecuentemente se están quejando de algo normal: el pañal está mojado o tienen hambre. En fin, hay algunas señales de enfermedad que los padres aprenderán, pero la señal más importante probablemente será el instinto natural. Los padres sentirán si el niño está enfermo.

[1]*matter* [2]*minor* [3]*covers*

Now listen to the conversation on the casssette tape.

VOCABULARIO ÚTIL

el cólico	colic	**aliviar**	to alleviate; to relieve
el chupete	pacifier	**amamantar**	to breast feed, nurse
la evacuación	bowel movement	**eructar**	to burp
la leche	milk	**estornudar**	to sneeze
el llanto	crying	**mecer (z)**	to rock
el pañal	diaper	**preocuparse**	to worry
la señal	sign		

asmático/a	asthmatic
congestionado/a*	congested
materno/a	maternal, mother's
mojado/a	wet

Now here is a series of statements. Indicate whether they are true (**cierto**) or false (**falso**).

C F 1. Elenita aumentó siete libras de peso en el primer mes.

C F 2. La leche materna se digiere más rápidamente que la fórmula.

C F 3. No se debe mecer a la niña si tiene cólico.

C F 4. Una fiebre de más de 100 grados y medio puede ser señal de algo serio.

C F 5. Camila y la Dra. Peña aprenderán juntas lo que es normal.

---

*Also: constipado/a

Nota cultural: Los pañales desechables (*disposable*) son tan populares en el mundo hispánico como en los Estados Unidos. Su costo hace que su uso sea un poco menos común, tal vez.

B. Más preguntas para la doctora. Contesta las preguntas con verbos en el tiempo futuro. Usan las sugerencias entre paréntesis.

1. ¿Cuándo va a dormir Elena toda la noche? (a los seis meses)

   _____

2. ¿Va a dejar de comer tan frecuentemente? (a los cuatro meses)

   _____

3. ¿Va a aumentar de peso todos los años? (hasta la adolescencia)

   _____

4. ¿Cuándo la voy a traer aquí otra vez? (a los dos meses)

   _____

5. ¿Cuándo va a bajar el número de evacuaciones? (a los cinco meses)

   _____

6. ¿Cómo va a aprender Camila lo que es normal? (con la práctica)

C. Aumenta tu vocabulario. Match the Spanish words with their English equivalents. Look at the **Vocabulario útil** for clues, if necessary, then fill in the blanks in the paragraph with an appropriate word from the list.

1. _____ el alivio		a.	burp
2. _____ el aumento		b.	increase
3. _____ chupar		c.	milky
4. _____ el eructo		d.	worry
5. _____ el estornudo		e.	rocking chair
6. _____ lechoso		f.	sneeze
7. _____ la mecedora		g.	to moisten
8. _____ mojar		h.	to suck
9. _____ la preocupación		i.	relief

Fue un _____[1] saber que los _____[2] de la niña no son una

_____[3] El _____[4] de peso sí es importante. También sé que cuando la

niña se queja y comienza a _____[5] el dedo es la hora de comer y pasar unos minutos

en la _____[6] Después de comer, la niña problemente emite un _____[7]

también es común _____[8] el pañal y a veces vomitar un líquido _____[9]

D. Los bebés. Combine elements from the columns below to form at least four sentences about babies and their development. Make any necessary changes and add words where necessary.

durante el primer mes
después de unos meses
cuando tiene cólico es bueno
debe traerlo a la clínica si

darle el chupete
bajar el número de evacuaciones
tener 100,5° de temperatura
dejar de comer tantas veces al día
comer cada cuatro o cinco horas
usar una bolsa de agua caliente
hacerle eructar
tener respiración asmática
aumentar dos libras de peso
dormir toda la noche

_____

_____

_____

_____

E. Entrevista. This continuing segment will give you practice in a very important area of language usage: requesting and receiving information from patients. You will "interview" a patient who will answer your questions on the cassette tape. You will then fill in the form with the information you hear. Subsequent lessons will present additional parts of this form, then other forms, to fill in.

Ask questions that will elicit the information needed to fill in the following form. It is a good idea to scan the form first and perhaps write notes about how to ask your questions. Then, when you hear the number, ask your question. The person you are interviewing is a man. Listen to his answer on the cassette tape and record the information on the form. (Possible questions and the answers are in the Appendix.)

Dra. MERCEDES PEÑA–Pediatra

A. La persona responsable

1. Nombre y apellidos:_____

2. Domicilio:_____

3. Ciudad:_____ Estado:_____ Código postal:_____

4. Teléfono domicilio:_____ Teléfono trabajo:_____

5. Lugar de empleo:_____

6. Fecha y lugar de nacimiento:_____

7. Número de Seguro Social:_____

LECCIÓN 28

. . . .

A. Lectura y diálogo: Camila hace más preguntas sobre la salud de su bebé. Study the vocabulary and the reading, then listen to the conversation on the cassette tape. You may not understand every word. Here are some unfamiliar words you will hear:

próximo	next	**querer (ie) decir**	to mean
doble	double	**devolver**	to return (*something*)

DRA. PEÑA: Algunas enfermedades del recién nacido pueden parecer serias pero no lo son. Un ejemplo es la ictericia, que afecta a un 60 por ciento de los niños. La ictericia tiene varias causas. La causa más común en los primeros días de vida del recién nacido es que el hígado no puede procesar una substancia en la sangre llamada bilirrubina. Generalmente esta condición se considera fisiológica y no patológica. El resultado más común es que se remite sola. En los casos más serios se usa un tratamiento con una luz que cambia[1] la composición y reduce el nivel[2] de bilirrubina. La ictericia que persiste después de quince días puede señalar problemas del hígado o de la sangre. Es muy importante consultar al médico en ese caso.

[1]*changes* [2]*level*

Now listen to the conversation on the cassette tape.

VOCABULARIO ÚTIL

la bilirrubina	bilirubin	**aguado/a**	watery
la bilis	bile	**patológico/a**	pathological
el crecimiento	growth	**verdoso/a**	greenish
la diarrea	diarrhea		
la ictericia	jaundice	**sin esfuerzo**	without effort
la materia fecal*	feces		
la razón	reason	**persistir**	to persist, continue
el recién nacido	newborn	**remitir**	to abate (*illness*);
la regurgitación	spitting up		to get better (*condition*)
		señalar	to indicate, signal

Now here is a series of statements. Indicate whether they are true (**cierto**) or false (**falso**).

C F 1. La regurgitación es natural y probablemente no es serio.

C F 2. Si la materia fecal es verdosa, la diarrea puede indicar un problema serio.

C F 3. Cuando el bebé tiene el cuerpo amarillo sufre de ictericia.

C F 4. Si la ictericia persiste, la madre no debe preocuparse.

C F 5. Elenita no debe aumentar de peso durante los próximos meses.

Nota cultural: En el mundo hispánico usan el kilogramo (2,2 libras) y no la libra para indicar el peso. Un bebé recién nacido pesa generalmente entre tres y cuatro kilos.

---

*Also: **las heces**

B. Más preguntas. Contesta las preguntas de Camila como las contestaría (*would answer*) la Dra. Peña. Usa el tiempo futuro.

1. ¿Todos los niños van a tener diarrea alguna vez?

   Sí. _____

2. ¿Voy a querer llamar al médico alguna vez?

   Sí. _____

3. ¿Va a haber regurgitaciones sin enfermedad seria?

   Sí. _____

4. ¿Voy a ponerle a Elenita pañales secos frecuentemente?

   Sí. _____

5. ¿Voy a venir a la clínica con mucha frecuencia?

   No. _____

C. Aumenta tu vocabulario. Match the Spanish words with their English equivalents. Look at the **Vocabulario útil** for clues, if necessary. Then fill in the blanks with an appropriate form of a word from the list.

1. _____ crecer
2. _____ la remisión
3. _____ razonable
4. _____ persistente
5. _____ recién casado
6. _____ aguadija
7. _____ esforzarse

a. reasonable
b. water (*in wounds, blisters*)
c. newlywed
d. to make an effort, push oneself
e. remission
f. to grow
g. persistent

8. La herida tiene _____ porque el paciente está _____ mucho.

9. Cuando el cáncer deja de _____, puede ser una _____, pero es una

   enfermedad _____.

10. Las reacciones de los _____ no son muy _____ a veces.

D. Los recién nacidos. Combine elements from the columns below to form at least four more sentences about babies in their first weeks. Make any necessary changes and add words where necessary.

los recién nacidos
Elenita
la Dra. Peña
Camila

tener naturalmente alguna regurgitación
saber más y más si la niña está enferma
acostumbrarse a la personalidad de su madre
vomitar cuando están enfermos
a veces tener ictericia a las dos semanas de nacer
querer ver a la niña si no aumenta de peso
creer que el color de Elenita está muy bien
crecer mucho en los próximos meses
deber llamar a la clínica si persiste la diarrea

_____

_____

_____

_____

E. Entrevista. Ask questions that will elicit the information needed to fill in the following form. It is a good idea to scan the form first and perhaps write notes about how to ask your questions. Then, when you hear the number, ask your question. You will be interviewing the same person you interviewed in **Lección 27**. Listen to his answer on the cassette tape and record the information on the form. (Possible questions and the answers are in the Appendix.)

8. Estado civil: Casado/a_____   Soltero/a_____   Divorciado/a_____   Viudo/a_____

9. Nombre del/de la esposo/a:_____

10. Hijos (Nombre / Sexo / Edad):

   _____   _____

   _____   _____

   _____   _____

   _____   _____

11. Compañía de seguro médico:_____

    Número de la póliza:_____

B. Información sobre el/la paciente

12. Nombre:_____

13. Fecha y lugar de nacimiento:_____

LECCIÓN 29

• • • • • • • • • • • • • • • • • • • •

A. Lectura y diálogo: Camila y la Dra. Peña hacen planes para las vacunas. Study the vocabulary and the reading, then listen to the conversation on the cassette tape. You may not understand every word. Here are some unfamiliar words you will hear:

repetir(i,i)   to repeat   **picar**   to prick
equivocada   mistaken

DRA. PEÑA: Mucha gente cree que, como resultado de las inmunizaciones, las enfermedades comunes del pasado ya no existen. No es así. Hay muchísimos niños, especialmente menores de cuatro años, que no están vacunados. Algunos padres no saben que es necesario vacunar a sus niños. Otros creen que pueden dejarlo para la edad escolar[1] y exponen a sus niños a las enfermedades en su época más vulnerable. El número de niños sin vacunación es tan grande que nos exponemos al peligro de nuevas epidemias de sarampión y de rubéola. Las enfermedades mismas[2] no son tan serias, pero a veces tienen complicaciones muy graves. El sarampión puede producir lesiones cerebrales, entre otros problemas. Es muy importante que los padres hagan planes con su médico si sus niños no recibieron las vacunas necesarias.

[1]edad... *school age*   [2]*themselves*

 Now listen to the conversation on the cassette tape.

VOCABULARIO ÚTIL

la difteria	diphtheria	**la rubéola**	rubella
la dosis de refuerzo	booster shot/dose	**(el sarampión alemán)**	(German measle
la epidemia	epidemic	**el sarampión**	measles (rubeola)
la influenza*	flu	**el tétanos**	tetanus
la inyección	injection, shot	**la vacunación**	vaccination
la inmunización	immunization	**la vacuna combinada**	combined vaccine
la lesión (cerebral)	(brain) injury, damage		
la parotiditis (las paperas)	parotitis (mumps)	**vacunado/a**	vaccinated
la pertusis (la tos ferina)	pertussis (whooping cough)	**contraer**	to contract, catch (*an illness*)
la poliomielitis	poliomyelitis	**exponer**	to expose

Now read the following statements and indicate with an X those that are mentioned in the reading or the dialogue.

1. _____ Hay peligro de nuevas epidemias porque a muchos niños no se les ponen las inyecciones.

2. _____ El sarampión y la rubéola pueden tener efectos muy graves.

3. _____ La doctora quiere que Camila piense en las inmunizaciones.

4. _____ Es necesario ponerle a Elenita una inyección de la vacuna combinada DTP.

5. _____ La fiebre amarilla es muy peligrosa.

6. _____ Algunas vacunas son nuevas y tienen efectos desconocidos.

Nota cultural: En algunos países hispánicos, por su pobreza (*poverty*) general, el número de niños sin inmunizaciones es un problema muy serio todavía.

---

*Also: **la gripe**

B. Recomendaciones. Completa las respuestas usando las palabras entre paréntesis.

1. ¿Tiene que volver Camila a la clínica? (volver a los dos meses)

    La doctora quiere que _____

2. ¿Qué quiere la Dra. Peña? (Camila/pensar en las inmunizaciones)

    Quiere que_____

3. ¿Qué es necesario para evitar epidemias? (los padres/vacunar a sus niños)

    Es necesario que_____

4. ¿Qué no quiere la doctora? (Elenita/exponerse a la rubéola)

    No quiere que _____

5. ¿Qué prefiere la doctora? (la niña/no contraer la enfermedad)

    Prefiere que _____

C. Aumenta tu vocabulario. The ending *-itis* is the same in Spanish and English. Note that words ending in *-itis* are feminine in Spanish. Write the two Spanish words with this ending from the **Vocabulario útil**.

_____ _____

Can you guess the Spanish equivalents (with the article) of these English words? ¡OJO! Spanish has very few double letters.

1. appendicitis _____

2. colitis _____

3. dermatitis _____

4. hepatitis _____

5. laryngitis _____

6. neuritis _____

Be sure to pronounce these words to yourself in Spanish.

¿Cuáles de esas palabras se asocian con las palabras siguientes?

a.	_____ el colon	c.	_____ la garganta	e.	_____ la piel
b.	_____ el cerebro	d.	_____ el hígado	f.	_____ el apéndice

D. Las inmunizaciones. Describe el programa de inmunizaciones según la lectura y el diálogo. Usa todas las frases de la lista.

se da a los 2, 4, 6 y 18 meses
son la vacuna combinada MMR contra el sarampión, las paperas y la rubéola a los 15 meses y la vacuna contra la influenza a los dos años
es una vacuna contra la difteria, el tétanos y la tos ferina
se da por vía oral a los 2, 4 y 18 meses
también se da una dosis de refuerzo cuando el niño llega a la edad escolar

1. La vacuna combinada DTP _____

    _____

    _____

2. La vacuna contra la poliomielitis _____

    _____

    _____

3.   Otras dos vacunas importantes_____

_____

_____

E.   Entrevista. Ask questions that will elicit the information needed to fill in the following form. It is a good idea to scan the form first and perhaps write notes about how to ask your questions. Then, when you hear the number, ask your question. You will be interviewing the same person you started to interview in **Lección 27.** Listen to his answer on the cassette tape and record the information on the form. (Possible questions and the answers are in the Appendix.)

14.   Inmunizaciones y edad

DTP (Difteria, tétanos, tos ferina):

DTP1_____   DTP2_____   DTP3_____   DTP4_____   DTP5_____

Polio: 1_____   2_____   3_____

MMR (sarampión, parotiditis [paperas], rubéola):_____

HIB (influenza tipo B):_____

Otros:_____

15.   Enfermedades previas[1] (edad):

Difteria_____   Tétanos_____   Tos ferina_____

Sarampión_____   Paperas_____   Rubéola_____

[1]*previous*

LECCIÓN 30

• • • • • • • • • • • • • • • • • • • •

A. Lectura y diálogo: La Dra. Peña da una clase sobre la salud del niño. Study the vocabulary and the reading, then listen to the conversation on the cassette tape. You may not understand every word. Here are some unfamiliar words you will hear:

o bien	or else	**cualquiera**	any
invadir	to invade		

DRA. PEÑA: Bueno, señoras. Como dije antes, queremos que ustedes estén preparadas para los primeros años de su nuevo niño. Es mejor que sepan cuándo es necesario llamar a la clínica y cuándo no lo es. Pero no queremos que vacilen[1] en llamar si tienen dudas.[2] A veces, tratando los síntomas podemos prevenir una enfermedad más seria. Es importante que recuerden que a veces sólo ustedes saben si el niño está enfermo o no, porque sólo ustedes conocen íntimamente sus reacciones normales. Pero también hay algunas posibles señales de enfermedad. Como vimos en la presentación, el llanto excesivo, la respiración difícil y la diarrea todos pueden indicar problemas más serios. Bueno, creo que tenemos tiempo para algunas preguntas. ¿Sí, señora?

[1]*hesitate* [2]*doubts*

 Now listen to the conversation on the cassette tape.

VOCABULARIO ÚTIL

la bacteria	bacterium	**la toxina**	toxin
el excremento	excrement, feces	**el virus** (*pl.* virus)	virus
el fluido	fluid		
el intestino	intestine	**con cuidado**	carefully
la lágrima	tear	**fuerte**	strong
la mollera (caída)	(fallen) fontanelle		
la mucosidad	mucosity	**mojar**	to (make) wet
el olor	odor, smell	**observar**	to observe
las reacciones (normales)	(normal) behavior	**prevenir** (*like* venir)	to prevent

Now complete these sentences according to the reading and the dialogue. ¡OJO! Both answers may be appropriate in some instances.

1. Los médicos de la clínica quieren que las madres
   a. estén preparadas para los primeros años de su bebé.
   b. les llamen si hay un olor fuerte en casa.

2. A veces sólo las madres conocen íntimamente
   a. la causa de la diarrea.
   b. las reacciones normales del niño.

3. Si parece que tiene diarrea, es necesario que
   a. observen al niño con cuidado.
   b. no le den nada de comer.

4. La causa más común de la diarrea es
   a. un virus o una bacteria.
   b. una toxina que invade el intestino.

5. Cuando el niño tiene diarrea es importante prevenir
   a. que moje el pañal.
   b. la deshidratación.

B. Reacciones de la Dra. Peña. Tell how Dr. Peña might comment on this mother's statements about her child and herself.

1. MADRE: Soy una madre muy nerviosa.

   DRA. PEÑA: Me molesta que_____

2. MADRE: Sé cuando mi niño está enfermo.

   DRA. PEÑA: Me alegro de que _____

3. MADRE: Le doy fluidos cuando tiene diarrea.

   DRA. PEÑA: Me gusta que _____

4. MADRE: Estoy muy preocupada todo el tiempo.

   DRA. PEÑA: Siento que_____

C. Aumenta tu vocabulario. Give the English equivalents of these words pertaining to **los intestinos.** You have already learned some of them.

1. el intestino delgado _____

2. el intestino grueso _____

3. el duodeno _____

4. el íleon _____

5. el ciego _____

6. el colon ascendente _____

7. transverso, descendente _____

8. el apéndice _____

9. el recto _____

10. los órganos internos _____

D. Combine elements from the columns below to form at least five sentences about children and their mothers and doctors. Make any necessary changes and add words where necessary.

la(s) madre(s)   no saber decirle cuándo está enfermo
la Dra. Peña   examinar al niño para prevenir enfermedades serias
el bebé   recomendar que observe con cuidado al niño con diarrea
los médicos   no siempre saber qué tiene el niño
es importante   llamar al médico si reconoce la diarrea
                                  necesitar frecuentemente pañales secos
                                  querer que la madre llame a la clínica
                                  no esperar hasta muy tarde para ir a la clínica

_____

_____

_____

_____

_____

E. Entrevista. Continue to formulate questions to elicit the information to fill in the form below. Listen to the answers on the cassette tape and record the information on the form. (Possible questions and the answers are in the Appendix.)

16. Fecha de la última visita al médico:_____

17. Medicina que toma actualmente[1]:_____

18. Problema actual:_____

19. Síntomas: Diarrea_____, Con sangre_____, Mucosidad_____;

    Respiración difícil_____; Vómitos o náusea_____; Temperatura actual:_____

[1]*currently*

Lección 31

• • • • • • • • • • • • • • • • • • • •

A. Lectura y diálogo: Sigue la clase de la Dra. Peña. Study the vocabulary and the reading, then listen to the conversation on the cassette tape. You may not understand every word.

DRA. PEÑA: El aumento de peso es uno de los aspectos más importantes de la salud del niño recién nacido. Es necesario seguir su progreso con mucho cuidado. En cuanto el bebé deje de aumentar o sufra una pérdida de peso, es razón de preocuparse. La causa puede ser orgánica. Por ejemplo, algunas enfermedades afectan a la capacidad de absorción del intestino. Problemas del hígado, de los riñones o del corazón también pueden ser la causa. Enfermedades del sistema nervioso central o de la glándula endocrina también afectan al peso del bebé. Algunas enfermedades afectan al apetito del niño, pero el apetito debe volver después de remitir la enfermedad. Y también, si no aumenta de peso, puede ser a causa de[1] algo no orgánico sino[2] externo.

[1]a... *because of* [2]*but (rather)*

Now listen to the conversation on the cassette tape.

VOCABULARIO ÚTIL

el abandono	abandonment	**la náusea**	nausea
la absorción	absorption	**la pérdida (de peso)**	(weight) loss
el apetito	appetite	**el resfriado***	cold
el aumento (de peso)	(weight) gain	**el sistema nervioso (central)**	(central) nervous system
la capacidad	ability		
el comportamiento	behavior	**endocrino/a**	endocrine
la consulta	consultation	**orgánico/a**	organic; internal
la desnutrición	malnutrition		
la glándula	gland	**exhibir**	to exhibit

Now complete these sentences according to the reading and the dialogue.

1. Hay razón de preocuparse cuando el niño
   a. no aumenta de peso.   b. no tiene enfermedades.

2. Si el bebé pierde el apetito, el apetito debe volver
   a. a causa de algo orgánico.   b. después de remitir la enfermedad.

3. El abandono materno puede afectar
   a. la consulta médica.   b. el crecimiento normal del niño.

4. Los niños que sufren de desnutrición por más de seis meses
   a. exhiben comportamiento antisocial.   b. pierden su apetito.

5. Casi nunca es aconsejable hacer
   a. un reconocimiento físico.   b. que el niño coma.

B. Responde la Dra. Peña. Answer the questions as Dr. Peña might respond to questions asked by the mothers of newborns.

1. ¿Cuándo debemos llamar a la clínica? (saber que el niño está enfermo)

   Llamen en cuanto _____

2. ¿Cuándo debemos preocuparnos sobre el aumento de peso? (dejar de aumentar de peso)

   Se preocuparán cuando el niño _____

_____

*Also: **el catarro**

3. ¿Después de cuánto tiempo sufre daño el niño que nunca come bien? (sufrir de desnutrición/ por seis meses)

Hay daño permanente después de que _____

4. ¿Cuándo será necesario tratar al niño con diarrea? (sufrir de deshidratación)

Es necesario tratarlo antes de que _____

5. ¿Cuándo dejaré de preocuparme? (el niño/tener sus propios [*own*] hijos)

Dejarás de preocuparte cuando _____

Nota cultural: La desnutrición es un problema para los niños en las regiones pobres, pero casi nunca se debe al abandono sino a las dificultades económicas.

C. Aumenta tu vocabulario. Give the English equivalents of these words pertaining to the **sistema nervioso** and the **sistema circulatorio**. You have already learned some of them.

1. el cerebro _____

2. el cerebelo _____

3. la médula oblonga _____

4. la médula espinal _____

5. la carótida _____

6. la yugular _____

7. la vena temporal _____

8. la arteria frontal _____

9. la arteria pulmonar _____

10. la aorta abdominal _____

D. Combine elements from the columns below to form at least five sentences about weight gain or lack of it. Make any necessary changes and add words where necessary.

la falta (*lack*) de cuidado materno	afecta(n) a	el peso del bebé
el abandono psicológico o físico	causa(n)	el apetito del niño
una fiebre	requiere(n)	algo orgánico o algo no
una infección en el oído	puede(n) producir	externo
la desnutrición	puede(n) ser a causa de	el crecimiento normal
cuando el niño no aumenta de peso		consulta médica
algunas enfermedades		la capacidad de absorción
un problema con la glándula		del intestino
endocrina		la hospitalización
la pérdida de peso		comportamiento antisocial
		problemas del hígado, de los
		riñones o del corazón

_____

_____

_____

_____

_____

E. Entrevista. Continue to formulate questions to elicit information to fill in the form below. Listen to the answers on the cassette tape and record the information on the form. (Possible questions and the answers are in the Appendix.)

20. ¿Tuvo los mismos síntomas antes?_____ ¿Cuándo?_____

21. Comienzo de los síntomas:_____

Menores de 1 año:

22. Peso actual:_____ Al nacer:_____

23. Comidas diarias[1]:_____

24. Apetito ahora:_____

25. Otros síntomas:_____

[1]*daily*

LECCIÓN 32

● ●

A. Lectura y diálogo: Sigue la clase de la doctora sobre la salud del niño. Study the vocabulary and the reading, then listen to the conversation on the cassette tape. You may not understand every word. Here are some unfamiliar words you will hear:

cada vez más   more and more
detrás de   behind

DRA PEÑA: Una de las enfermedades más frecuentes de los niños es el resfriado común recurrente. Es una infección del sistema respiratorio superior que presenta unos síntomas comunes: cabeza congestionada, nariz que gotea, dolor de garganta y a veces fiebre. Frecuentemente hay falta de apetito, irritabilidad o inquietud. Son comunes la tos y la tráquea irritada. Los mismos síntomas también pueden indicar la rinitis alérgica o fiebre del heno. Una alergia a algún elemento ambiental[1] como el humo[2] o la contaminación[3] del ambiente en general también presenta algunos de estos síntomas pero es menos frecuente que el resfriado común.

[1]*environmental* [2]*smoke* [3]*pollution*

 Now listen to the conversation on the cassette tape.

VOCABULARIO ÚTIL

el enviciamiento*	addiction	**la tos**	cough
la falta	lack	**la tráquea**	trachea, windpipe
la fiebre del heno	hay fever		
la inflamación	inflammation	**contrario/a**	contrary
la inquietud	restlessness	**crónico/a**	chronic
la membrana mucosa	mucous membrane	**recurrente**	recurring
la rinitis alérgica	allergic rhinitis	**salino/a**	saline
el sistema respiratorio (superior)	(upper) respiratory system		
		encogerse	to shrink, contract
		gotear	to drip
		resfriarse	to catch a cold

Now read the following statements and indicate with an X those that are mentioned in the reading or the dialogue.

1. _____ El resfriado común es frecuente entre los niños.

2. _____ El resfriado puede causar falta de apetito.

3. _____ Los mismos síntomas pueden indicar la rinitis alérgica.

4. _____ Los antibióticos se usan para curar muchas enfermedades de la sangre.

5. _____ Algunas medicinas pueden producir una inflamación crónica de las membranas de la garganta.

6. _____ Una complicación frecuente es una infección en el oído que puede requerir un tratamiento con antibióticos.

Nota cultural: La preferencia hispana por la vida urbana ha creado (*has created*) las ciudades más grandes del mundo. Estas ciudades sufren de serios problemas con la contaminación, una causa importante de enfermedades respiratorias.

---

*Also: **la adicción**

B. El médico manda. Complete these suggestions from the doctor. Use the command form in the first blank of each sentence.

1. _____ Ud. unas gotas que _____ la congestión nasal. (comprar/aliviar)

2. No _____ Uds. gotas que _____ encogerse la membrana mucosa. (utilizar/hacer)

3. No _____ Ud. ninguna medicina que _____ el resfriado común. (buscar/curar)

C. Aumenta tu vocabulario. Give the English equivalents of these words pertaining to **el sistema respiratorio.** You have already learned some of them.

1. el pulmón _____
2. la tráquea _____
3. el bronquio _____
4. el seno frontal _____
5. la cavidad nasal _____

6. la epiglotis _____
7. el tórax _____
8. la laringe _____
9. la faringe _____

D. Combine elements from the columns below to form at least five sentences about children's colds. Make any necessary changes and add words where necessary.

sabes que es un resfriado en cuanto el niño	alivia(n)	un dolor de garganta
no hay remedio que	cure(n)	encogerse la membrana mucosa
también es posible que	haga(n)	congestión en los senos frontales
hay unas gotas que	sufra(n)	el resfriado común
no recomiendan gotas que	tenga(n)	diarrea y falta de apetito
		la nariz que gotea

_____

_____

_____

_____

_____

E. Entrevista. Continue to formulate questions to elicit information to fill in the form below. Listen to the answers on the cassette tape and record the information on the form. (Possible questions and the answers are in the Appendix.)

Historial Médico

26. ¿Resfriados frecuentes? Sí____ No____

    Explique:_____

27. Enfermedades del sistema respiratorio:_____

    Rinitis alérgica (la fiebre del heno)_____ Asma_____

28. Alergias comunes del sistema respiratorio:

    Polen____ Moho[1]____ Polvo[2]____ Comestibles____ Insectos____ Medicinas____

    Animales____ Explique:_____

29. Alergias de los padres:_____

[1]Mold [2]Dust

LECCIÓN 33

• •

A. Lectura y diálogo: La Dra. Peña habla de la higiene y los niños. Study the vocabulary and the reading, then listen to the conversation on the cassette tape. You may not understand every word. Here are some unfamiliar words you will hear:

sencillamente	simply	lejía	bleach
cambiar	to change	prolongado	prolonged

DRA. PEÑA: Los niños son portadores frecuentes de microbios y de enfermedades contagiosas. Lo tocan[1] todo y se lo llevan a la boca si pueden. Las enfermedades se transmiten de varias maneras.[2] Los resfriados y otras enfermedades respiratorias se transmiten por contacto con las secreciones de la nariz, de la boca o de los ojos de una persona infectada. Los estornudos y la tos pueden difundir[3] los microbios a una distancia de seis pies, aunque es menos frecuente la infección de esta manera. La diarrea y la hepatitis A se transmiten por el contacto con la materia fecal de la persona infectada. Compartir[4] los peines[5] o los cepillos para el pelo[6] puede transmitir los piojos y la tiña. Si alguien tiene piojos es importante que se comience el tratamiento antes de que los contraiga el resto de la familia.

[1]*they touch* [2]*ways* [3]*spread* [4]*Sharing* [5]*combs* [6]*cepillos... hairbrushes*

Now listen to the conversation on the cassette tape.

VOCABULARIO ÚTIL

el estornudo	sneeze	contagioso/a	contagious
el inodoro	toilet	estreptocócico/a	streptococcal
la guardería (infantil)	preschool, daycare center	infectado/a	infected
la higiene	hygiene		
el microbio	germ, microbe	lavar	to wash
los piojos	lice	sonarse la nariz	to blow one's nose
el portador/la portadora	carrier	transmitir	to transmit
el salpullido*	rash		
la secreción	secretion		
la tiña	ringworm		

Now read the following statements and indicate with an X those that are mentioned in the reading or the dialogue.

1. _____ Las enfermedades respiratorias se transmiten por contacto con las secreciones del enfermo.

2. _____ Los piojos se transmiten por los cepillos para el pelo.

3. _____ La guardería es un lugar donde los niños contraen enfermedades contagiosas.

4. _____ Es importante que todos los miembros de la familia se laven las manos frecuentemente.

5. _____ Para prevenir el salpullido en los niños es importante usar pañales de papel.

6. _____ Es útil lavar el baño con desinfectante.

Nota cultural: Las regiones menos desarrolladas del mundo hispánico carecen de (*lack*) facilidades higiénicas—agua potable, cloacas (*sewers*) adecuadas, etcétera. En estas circunstancias hay peligro de epidemias, como en el caso reciente del cólera en Latinoamérica.

---

*Also: el sarpullido

B. Más comentarios. Complete these additional remarks by Dra. Peña. Use the **tú** command in the first blank of each sentence.

1. No _____ que _____ fácil evitar los microbios. (creer/ser)

2. _____ bien las manos o es posible que _____ alguna enfermedad

   contagiosa. (lavarse/contraer)

3. _____ cuidado con la materia fecal del enfermo y dudo que _____ la

   hepatitis. (tener/transmitir)

C. Aumenta tu vocabulario. As in English, numerous words in Spanish name medical specialists and specialties. Here are some you should recognize because of their similarity in Spanish and English. Read the lists, then complete the sentences with the appropriate specialist or specialty.

Especialistas	Especialidades
el/la cirujano/a	la cirugía torácica
el/la dermatólogo/a	la cirugía neurológica
el/la internista	la obstetricia
el/la gastroenterólogo/a	la endocrinología
el/la patólogo/a	la medicina nuclear
el/la urólogo/a	la cirugía cardiovascular
el/la anestesista	la otolaringología

1. Si tengo un salpullido, es probable que vea a un _____.

2. Si necesito una operación, es probable que vea a un _____.

3. Con un problema del colon, es necesario que vaya a un _____.

4. Los especialistas en _____ tratan a las mujeres embarazadas.

5. Si tengo un tumor cerebral, es probable que necesite _____.

D. Combine elements from the columns below to form at least four sentences about hygiene and children. Make any necessary changes and add words where necessary.

los niños	(no) lleven	las manos con cuidado
la doctora duda que	son	a los niños enfermos a la escuela
es muy importante que los padres	se transmita(n)	enfermedades por los estornudos
es mejor que los padres	laven	los pañales con lejía
		buenos portadores de microbios
		la hepatitis si no hay contacto con la materia fecal
		el baño y la cocina con desinfectante

_____

_____

_____

_____

E. Entrevista. Continue to formulate questions to elicit information to fill in the form below. Listen to the answers on the cassette tape and record the information on the form. (Possible questions and the answers are in the Appendix.)

30. ¿Recibió (o recibe) inmunoterapia contra alguna alergia?_____

   ¿Cuál(es)?_____

31. ¿Sufrió anafilaxis? Explique:_____

32. ¿Sufrió una infección últimamente?_____

   Explique:_____

33. ¿Sufrió últimamente una infección estreptocócica?_____

LECCIÓN 34

• •

A. Lectura y diálogo: La Dra. Peña habla sobre la rivalidad entre hermanos. Study the vocabulary and the reading, then listen to the conversation on the cassette tape. You may not understand every word. Here are some unfamiliar words you will hear:

esforzarse (ue)   to make an effort   pelearse   to squabble
intervenir (ie, i)   to intervene

DRA. PEÑA: Bueno, un momento muy difícil, y el que da principio a[1] la rivalidad entre hermanos es cuando el hermano mayor tiene que aceptar a un hermanito. Los celos, el resentimiento y otros sentimientos negativos hacia el recién nacido son naturales. El niño mayor ha dejado de ser el centro de atención de los padres. Cree que ha perdido su lugar en la familia y puede pasar un tiempo antes de que muestre afecto por su hermanito. Claro, no importa[2] a esta edad si son niñas o niños; el resentimiento es igual.[3] Pero, como hemos visto en esta clase, los padres pueden ayudar si tratan de entender el punto de vista del niño. Para él o ella, la madre ha pasado varios días fuera de la casa y ahora ha traído a casa un bebé que reclama[4] toda la atención de los padres. Esto causa que el niño mayor se porte de nuevo como bebé.

[1]da... *gives rise to*   [2]no... *it doesn't matter*   [3]*the same*   [4]*claims*

Now listen to the conversation on the cassette tape.

VOCABULARIO ÚTIL

la cesárea	Caesarean section	alabar	to praise
la generosidad	generosity	castigar	to punish
el golpe	blow	clarificar	to clarify
la niñez	childhood	compartir	to share
el punto de vista	point of view	portarse	to behave
el resentimiento	resentment	resolver (ue)	to solve, resolve
la riña	quarrel		
la rivalidad (entre hermanos)	(sibling) rivalry		
el sentimiento	feeling		
el temor	fear		

Now here is a series of statements. Indicate whether they are true (**cierto**) or false (**falso**).

C F 1. Es muy natural el resentimiento del hermano mayor cuando llega a casa el nuevo hermanito.

C F 2. Hay sentimientos negativos porque el niño mayor cree que ha perdido su lugar en la familia.

C F 3. Las niñas no tienen este resentimiento.

C F 4. Los padres deben tratar de entender el punto de vista del niño.

C F 5. Es importante castigar al niño de dos años que no quiere compartir sus cosas.

B. Contesta según el modelo.

MODELO: ¿Quién *clarificó* el problema? —La Dra. Peña lo *ha clarificado*.

1. ¿Se portó bien el niño? —Sí, se _____ muy bien.

2. ¿Compartió sus cosas con el hermanito? —No, no _____ nada.

3. ¿Volviste al médico? —Sí, _____ a verlo hoy.

4. ¿Te conté las noticias? —No, no me _____ nada.

5. ¿Recibiste la receta? —Sí, la _____ esta mañana.

C. Aumenta tu vocabulario. Give the English equivalent of the following terms pertaining to psychological problems and treatment.

1. la psicóloga _____
2. el psiquiatra _____
3. la neurosis _____
4. la psicosis _____
5. la depresión _____

6. la ansiedad _____
7. el pánico _____
8. la crisis nerviosa _____
9. la psicoterapia _____
10. deprimido/a _____

D. Combine elements from the columns below to form at least four sentences about sibling rivalry. Make any necessary changes and add words where necessary.

el hermano mayor (no) siempre	siente	ansiedad cuando llega un nuevo hermanito
es importante que los padres	se pueda	el punto de vista del niño
la doctora (no) cree que	entienda(n)	enseñar a los niños pequeños a compartir sus cosas
	se porta	otra vez como un niño
	alabe(n)	al hermano mayor
		resentimiento hacia el nuevo miembro de la familia
		resolver todos los conflictos de los niños

_____

_____

_____

_____

E. Entrevista. Continue to formulate questions to elicit information to fill in the form below. Listen to the answers on the cassette tape and record the information on the form. (Possible questions and the answers are in the Appendix.)

Algún otro niño de la familia:

34. ¿Asiste a la escuela o a una guardería?_____

35. ¿Ha tenido problemas emocionales? Explique:_____

¿Ha consultado a un psicólogo?_____

36. ¿Se porta mal con los compañeros de escuela?_____

37. ¿Ha manifestado sentimientos negativos?_____

¿Riñas?_____ ¿Resentimiento?_____ ¿Temores?_____

¿Comparte sus cosas con los amigos?_____

¿Otros problemas? (depresión, ansiedad)_____

LECCIÓN 35

● ● ● ● ● ● ● ● ● ● ● ● ● ● ● ● ● ● ● ●

A. Lectura y diálogo: Sigue la conversación sobre el desarrollo del niño. Study the vocabulary and the reading, then listen to the conversation on the cassette tape. You may not understand every word. Here are some unfamiliar words you will hear:

violento   violent   **desaparecer**   to disappear
llamados   so-called

DRA. PEÑA: La rivalidad entre los hermanos sigue durante la niñez, pero cuando el niño llega a la edad escolar otro elemento comienza a ser importante en su vida: sus compañeros de escuela[1] de la misma[2] edad, que frecuentemente tienen más influencia sobre sus actitudes que los padres. Los padres tienen la obligación de adelantar[3] el desarrollo psicosocial del niño, estimular el amor propio del niño junto con un sentido de responsabilidad moral. Es necesario que los padres le aconsejen hasta que haya aprendido las reglas del comportamiento social y de la interacción con sus compañeros. Es importante animarle en los estudios, especialmente en la lectura que le abre la puerta a la adquisición de otros conocimientos.[4] También es importante darle confianza para el futuro.

[1]compañeros... *peers*   [2]*same*   [3]*advance*   [4]*knowledge*

Now listen to the conversation on the cassette tape.

VOCABULARIO ÚTIL

la adolescencia	adolescence	**la regla**	rule
el amor propio	self-esteem	**el sentido**	sense
la confianza	confidence	**la vista**	vision
el desarrollo	development		
los dolores del crecimiento	growing pains	**matrimonial**	marital
el encorvamiento espinal	curvature of the spine	**psicosocial**	psychosocial
la escoliosis	scoliosis	**rutinario/a**	routine
la jaqueca	migraine (headache)	**animar**	to encourage
el oído	hearing		

Now here is a series of statements. Indicate whether they are true (**cierto**) or false (**falso**).

C F   1. Cuando el niño llega a la edad escolar, sus padres tienen más influencia en su comportamiento.

C F   2. Es muy importante animarles a los niños en la lectura.

C F   3. Los niños generalmente nacen con bastante amor propio y un sentido de responsabilidad moral.

C F   4. Si los conflictos entre los hermanos son violentos, puede ser necesario buscar consejo profesional.

C F   5. A veces los conflictos entre los padres pueden causar conflictos entre los hijos.

B. Contesta según el modelo.

MODELO: ¿A quién *engañó* el niño? —No creo que *haya engañado* a nadie.

1. ¿Quién resolvió los problemas de la adolescencia? —No hay nadie que _____ los problemas de la adolescencia.

2. ¿Qué hicieron los padres sobre los conflictos entre los niños? —Dudo que _____ nada.

3. ¿Pudieron animar a los niños en los estudios? —No creo que _____ animarlos.

4. ¿Contrajiste el resfriado del niño? —Es imposible que lo _____ del niño.

C. Aumenta tu vocabulario. Here are some terms relating to parental concerns about adolescents. Can you give the English equivalents? The sentences below may help with the more difficult ones.

1. el abuso sexual _____
2. la rebelión _____
3. arriesgarse _____
4. el suicidio _____
5. la bulimia _____

6. la anorexia _____
7. malhumorado/a _____
8. el ataque de nervios _____
9. la drogadicción _____
10. el alcoholismo _____

1. Los adolescentes se arriesgan cuando hacen actos peligrosos.
2. Frecuentemente los adolescentes están malhumorados y no saben qué quieren.
3. El ataque de nervios se da cuando alguien se pone muy nervioso.

D. Combine elements from the columns below to form at least four sentences about child development. Make any necessary changes and add words where necessary.

la doctora no cree que	aumentar	su causa en otro aspecto de la vida
la madre quiere saber	tenga(n)	a los niños en sus estudios
es posible que los conflictos	animar	problemas como el alcoholismo o la drogadicción
los padres tienen la obligación de	sea posible	un aspecto violento cuando son muy graves
	reconocer	evitar la rivalidad entre los hermanos
		el amor propio de los niños
		cuando los conflictos hayan llegado a un punto imposible

_____

_____

_____

_____

E. Entrevista. Continue to formulate questions to elicit information to fill in the form below. Listen to the answers on the cassette tape and record the information on the form. (Possible questions and the answers are in the Appendix.)

Para los mayores de 12 años:

38. ¿Se ha observado alguna dificultad psicosocial?_____

39. ¿Ha tenido problemas en su desarrollo social?_____

40. ¿Ha tenido un reconocimiento rutinario en la escuela?_____

Problema en/con:

El oído_____   La vista_____   Encorvamiento espinal_____   Jaquecas_____

Drogas_____   Alcoholismo_____   Nervios_____   Anorexia/Bulimia_____

LECCIÓN 36

• •

A. You are the receptionist at the pediatric clinic and are interviewing patients as they arrive. Fill out these preliminary forms by asking them questions and listening to their answers on the cassette tape. First, scan the information you need and think about the questions you will ask.

Paciente 1. Nombre y apellidos:_____ Edad:_____

Problema que quiere consultar:_____

Resumen[1] de sus síntomas:_____

_____

_____

_____

Paciente 2. Nombre y apellidos:_____ Edad:_____

Problema que quiere consultar:_____

Resumen de sus síntomas:_____

_____

_____

_____

Paciente 3. Nombre y apellidos:_____ Edad:_____

Problema que quiere consultar:_____

Resumen de sus síntomas:_____

_____

_____

_____

Paciente 4. Nombre y apellidos:_____ Edad:_____

Problema que quiere consultar:_____

Resumen de sus síntomas:_____

_____

_____

_____

Paciente 5. Nombre y apellidos:_____ Edad:_____

Problema que quiere consultar:_____

Resumen de sus síntomas:_____

_____

_____

_____

[1]*summary*

B. Fill in the blank with an appropriate word from the list.

a.	comportamiento	e.	diarrea	i.	jaqueca	m.	salpullido
b.	contagiosa	f.	difteria	j.	tétanos	n.	tos ferina
c.	estornudo	g.	epidemia	k.	tos	o.	riñas
d.	desnutrición	h.	ictericia	l.	rubéola	p.	crónica

1. Una enfermedad que se contrae de otra persona es _____.

2. Cuando la materia fecal está aguada, uno tiene _____.

3. Una enfermedad que no se puede curar es una enfermedad _____.

4. Siempre hay _____ entre los hermanos.

5. Cuando la piel se pone de color amarillo, el niño tiene _____.

6. Otro nombre del sarampión alemán es _____.

7. Cuando mucha gente contrae una enfermedad es una _____.

8. Un niño que no tiene comida suficiente sufre de _____.

9. Si el niño lleva pañales mojados puede resultar un _____.

10. La vacuna DTP previene _____, _____ y _____.

11. Los adolescentes a veces tienen problemas con su _____.

12. Un dolor de cabeza muy fuerte se llama _____.

13. Dos síntomas del resfriado común son el _____ y la _____.

C. Word families. Complete the sentences with a word related to the indicated word. ¡OJO! There are words from previous lessons.

1. Cuando a alguien le *gotea* la nariz, puede ir a la farmacia y comprar _____ para la nariz.

2. Si el niño *moja* su pañal, también la piel está _____.

3. En la consulta el médico siempre _____ a los pacientes para saber si han aumentado de *peso*.

4. Los síntomas *señalan* que hay un problema si uno reconoce las _____.

5. La *fatiga* puede ser un problema muy serio para la persona _____.

6. Para curar una *infección* hay que saber cuál es el órgano _____.

7. Los *niños* necesitan ayuda con los problemas de la _____.

8. Frecuentemente los niños se *contagian* por contacto con otros niños con enfermdades _____.

LECCIÓN 37

• • • • • • • • • • • • • • • • • • • •

A. Lectura y diálogo: Clínica San José—Sección de Dermatología. Study the vocabulary and the reading, then listen to the conversation on the cassette tape. You may not understand every word. Here are some unfamiliar words you will hear:

desde	since	con seguridad	with certainty
ha cambiado	has changed	el por ciento	percent

Esta clínica ofrece servicios médicos a los vecinos del barrio San José. En el cuerpo médico hay varios especialistas que pueden proveer el cuidado necesario para cualquier enfermedad. Los dermatólogos, por ejemplo, ven a los pacientes con problemas de la piel. Si tienen salpullido, una inflamación en la piel o eczema, los dermatólogos pueden recetar algo para aliviarlos. Los adolescentes que padecen del acné vienen a buscar algún remedio para los granos, las espinillas y los poros tapados.[1] Las personas que tienen comezón en la piel también buscan al dermatólogo para que les ayude. Además,[2] a veces llegan pacientes con problemas más graves, como el de este diálogo. La Dra. Alicia Reyes, dermatóloga de la Clínica San José, examina a una paciente con un condición grave.

[1] *clogged*   [2] *besides*

Now listen to the conversation on the cassette tape.

VOCABULARIO ÚTIL

el acné	acne	la melanoma	melanoma
la biopsia	biopsy	la espinilla	blackhead; shinbone
la comezón	itch	el poro	pore
el cuello	neck		
el eczema*	eczema	contra	against
el factor genético	genetic factor	aplicar	to apply
el grano	pimple	padecer (de)	to suffer (from) (*an illness, condition*)
el laboratorio	laboratory	rascar	to scratch (*an itch*)
el lunar	mole (*on the skin*)	quitarse	to take off, remove (*clothing*)

Now complete these sentences with a word or phrase from the following list:

factores genéticos, la mesa de reconocimiento, hacer una biopsia, el laboratorio, en el cuello, el diagnóstico, le duele más

1. La Sra. Perea tiene un lunar _____.

2. Siente comezón y cuando se lo rasca _____.

3. Para saber lo que es, tienen que _____.

4. La melanoma puede resultar de _____.

5. Es importante que se haga _____ temprano.

_____

*Also: eccema

B. Complete the sentences with the appropriate past subjunctive form of the verb.

1. La Dra. Reyes le dijo a la paciente que _____ la blusa y que _____ en la mesa de reconocimiento. (quitarse, sentarse)

2. La Sra. Perea esperaba que el lunar no _____ una melanoma. (ser)

3. Era importante que la Dra. Reyes _____ una biopsia. (hacer)

4. Si era una melanoma, iba a ser necesario que la paciente _____ cirugía y que _____ unas drogas contra el cáncer. (tener, tomar)

C. Aumenta tu vocabulario. Here are several of the parts of the lower body. You have already learned some of them.

Anatomía de la pierna

la cadera (*hip*)	la pantorrilla (*calf*)	el talón (*heel*)
el dedo del pie (*toe*)	el pie (*foot*)	el tobillo (*ankle*)
la espinilla (*shinbone*)	la pierna (*leg*)	la uña del pie (*toenail*)
el muslo (*thigh*)	la rodilla (*knee*)	

Can you complete this series?

La uña del pie se conecta el _____[1] que se conecta con el pie que se conecta con el _____[2] que se conecta con el tobillo que se conecta con la _____[3] que se conecta con la _____[4] que se conecta con el _____[5] que se conecta con la _____.[6]

D. Diálogo para completar. In this repeating section of the lessons, you will practice answering questions in writing. No cues are give, and many answers are possible. Base your answers on your own experience or knowledge of the specific situation portrayed in the dialogue. It may be helpful to listen to the dialogue for this lesson again. No answers are given in the Appendix.

Provide appropriate responses to complete the following dialogue logically.

PACIENTE: Doctor, tengo un lunar en el muslo que me duele.

DOCTOR: 1. _____

PACIENTE: Siempre lo he tenido pero acaba de comenzar a dolerme.

DOCTOR: 2. _____

PACIENTE: Si es melanoma, ¿qué podemos hacer?

DOCTOR: 3. _____

PACIENTE: Generalmente se puede curar la melanoma, ¿no?

DOCTOR: 4. _____

E. Entrevista. As the receptionist at the Clínica San José, you need to fill out this form with a patient. Listen as the patient introduces himself and briefly describes his problem. Record that information as you listen, then use this cue to ask him for additional information, which you will record under NOTAS: ¿cuánto tiempo?

Nombre y apellidos:_____

Condición médica a tratar:_____

Notas:_____

_____

_____

Lección 38

A. Lectura y diálogo: Clínica San José—Sección de Cirugía. Study the vocabulary and the reading, then listen to the conversation on the cassette tape. You may not understand every word.

La Dra. Reyes examinó a una paciente que probablemente no se podía curar con un comprimido o con una medicina. A veces es necesario tomar medidas más drásticas y por eso existe la cirugía. Si la Sra. Perea tiene una melanoma en el cuello, los cirujanos van a tener que operarla. Tal vez la pueden operar como paciente externa si no tienen que extirparle algunas glándulas también. A veces la melanoma se extiende a otras partes del cuerpo. Pero tendrán que hacerle otras pruebas para saber eso.

La medida de sacar un órgano es un método común para los cirujanos. En ciertos casos desde la apendicitis hasta las venas varicosas la cirugía es el último recurso. Es siempre un paso muy serio y un poco peligroso. En el diálogo el Dr. Bazán habla con un paciente, el Sr. García, sobre la posibilidad de una operación.

 Now listen to the conversation on the cassette tape.

VOCABULARIO ÚTIL

la anestesia (general)	(general) anesthetic	la sala de cuidados intensivos	intensive care unit
la cirugía	surgery	la sala de recuperación	recovery room
el cirujano/la cirujana	surgeon	la vena varicosa*	varicose vein
la complicación	complication		
la evaluación prequirúrgica	presurgical evaluation	inesperado/a	unexpected
la operación	operation		
la medida	measure, action	extenderse (ie)	to spread; to extend
el/la paciente externo/a	outpatient	extirpar	to remove (surgically)
el quirófano	operating room	operar	to operate
el recurso	recourse	vigilar	to watch over

Now complete these sentences with a word or phrase from the following list:

las complicaciones inesperadas, sala de recuperación, reservar el quirófano, la sala de cuidados intensivos, anestesia general, las venas varicosas, evaluación prequirúrgica

1. Para la cirugía el médico va a _____.

2. Antes de operar hacen una _____.

3. El anestesista vendrá a darle _____.

4. Después de la operación llevarán al paciente a una _____.

5. Si hay complicaciones el paciente irá a _____.

B. Complete the sentences with the appropriate past subjunctive form of the verb.

1. El Dr. Bazán quería que el paciente _____ la idea de que era mejor que le

   _____. (aceptar, operar)

2. El paciente quería que el médico le _____ lo que iba a pasar. (decir)

3. El anestesista iba a decirle al paciente que no _____ antes de la operación. (comer)

4. El Sr. García esperaba que le _____ anestesia general y que no _____ complicaciones inesperadas. (dar, hay)

---

*Also: la várice

C. Aumenta tu vocabulario. Here are some of the parts of the hand and arm. You have already learned some of them.

Anatomía de la mano y del brazo

la mano:
el dedo (*finger*)
el dedo índice (*index finger*)
el nudillo (*knuckle*)
la palma (*palm*)
el pulgar (*thumb*)
la punta/yema del dedo (*fingertip*)
la uña (*fingernail*)

el brazo:
el antebrazo (*forearm*)
el codo (*elbow*)
el hombro (*shoulder*)
la muñeca (*wrist*)
la axila/el sobaco (*armpit*)

Complete the following sentences with appropriate words from the list.

1. La mano tiene cinco _____, con cinco _____ y catorce _____,

   pero sólo tiene un _____, un _____ y una _____.

2. Las tres articulaciones del brazo están en la _____, el _____ y el

   _____.

3. La muñeca conecta la _____ con el _____.

D. Diálogo para completar. Provide appropriate responses to complete the following dialogue logically.

PACIENTE: ¿Usted cree que necesito cirugía?

MÉDICO: 1. _____

PACIENTE: ¿Cómo será la operación?

MÉDICO: 2. _____

PACIENTE: ¿Qué tipo de anestesia usarán?

MÉDICO: 3. _____

PACIENTE: ¿Qué pasará después de salir del quirófano?

MÉDICO: 4. _____

E. Entrevista. As the receptionist at the Clínica San José, you need to fill out this form with a patient. Listen as the patient introduces himself and briefly describes his problem. Record that information as you listen, then use this cue to ask him for additional information, which you will record under NOTAS: **¿qué quiere consultar?**

Nombre y apellidos:_____

Condición médica a tratar:_____

Notas:_____

_____

_____

LECCIÓN 39

• • • • • • • • • • • • • • • • • • • •

A. Lectura y diálogo: Clínica San José—las medicinas. Study the vocabulary and the reading, then listen to the conversation on the cassette tape. You may not understand every word. Here are some unfamiliar words you will hear:

se me olvidó   I forgot
no que yo sepa   not that I know of

La cirugía siempre es una medida que causa temor, tal vez por la anestesia general que deja al paciente inconsciente. Hoy día adminstran anestesias locales y regionales que dejan al paciente consciente pero entumecido o sin sensación en el punto de la operación. Son menos peligrosas y no le dan tanto miedo al paciente. También producen menos efectos secundarios que la anestesia general.

Los efectos secundarios son un posible problema cuando se toma cualquier medicina. Parte importante de la evaluación prequirúrgica es saber si la persona está tomando alguna medicina. Una sola aspirina puede afectar la coagulación de la sangre durante una operación. Los médicos tienen cuidado antes de recetarle pastillas o cápsulas a un paciente. Es importante que sepan qué medicinas está tomando el paciente y por eso el Dr. Blanco siempre hace muchas preguntas como en el diálogo.

Now listen to the conversation on the cassette tape.

VOCABULARIO ÚTIL

el antiácido	antacid	la pastilla	pill
el antihipertensivo	antihypertensive	la pomada	salve
el antimicrobial	antimicrobial	el pulverizador	spray, atomizer
la cápsula	capsule	la sensación	feeling
la coagulación	clotting	el ungüento	ointment
el diurético	diuretic		
el efecto secundario	side effect	(in)consciente	(un)conscious
el laxante	laxative	entumecer	to numb

Now read the following statements and indicate with an X those that are mentioned in the reading or the dialogue.

1. _____ Las anestesia general puede dar miedo al paciente porque queda inconsciente.

2. _____ Los efectos secundarios son un peligro cuando se toma medicina.

3. _____ Mucha gente no tiene cuidado cuando toma medicina.

4. _____ La anestesia local produce menos efectos secundarios.

5. _____ Es importante no tomar muchos antihipertensivos.

6. _____ El paciente tiene que decirle al médico si comienza a tomar medicina nueva.

B. Complete the sentences with the apropriate past subjunctive form of the verb.

1. El médico quería saber si el paciente tomaba alguna medicina que _____ hacerle daño. (poder)

2. No quería que _____ interacción con ninguna otra medicina que le

_____ a recetar él. (haber, ir)

3. El Sr. Tejera tenía que llamar a la enfermera tan pronto como _____ el nombre de la medicina. (saber)

4. También quería saber en cuanto _____ a tomar otra medicina. (comenzar)

C. Aumenta tu vocabulario. Here are some parts of the torso.

Anatomía del torso

a. el abdomen (*abdomen*)
b. la cintura (*waist*)
c. la clavícula (*collar bone*)
d. la columna vertebral (*spinal column*)
e. la costilla (*rib*)
f. el esternón (*sternum*)

g. la ingle (*groin*)
h. el ombligo (*navel*)
i. el pecho (*chest*)
j. los pechos/los senos (*breasts*)
k. las vértebras (*vertebrae*)

Match the definition with a word from the list.

1. _____ El área que se asocia con una hernia.

2. _____ El hueso que conecta el esternón con el hombro.

3. _____ La región de los intestinos.

4. _____ La parte estrecha del abdomen.

5. _____ Uno de los huesos conectados con el esternón.

D. Diálogo para completar. Provide appropriate responses to complete the following dialogue logically.

MÉDICO: Tengo que saber qué medicinas Ud. toma regularmente.

PACIENTE: 1. _____

MÉDICO: ¿No toma nada para las alergias?

PACIENTE: 2. _____

MÉDICO: ¿Y no ha tenido nada para alguna infección?

PACIENTE: 3. _____

MÉDICO: ¿Toma otras cosas frecuentemente?

PACIENTE: 4. _____

E. Entrevista. As the receptionist at the Clínica San José, you need to fill out this form with a patient. Listen as the patient introduces himself and briefly describes his problem. Record that information as you listen, then use this cue to ask him for additional information, which you will record under NOTAS: ¿qué medicina?

Nombre y apellidos:_____

Condición médica a tratar:_____

Notas:_____

_____

_____

LECCIÓN 40

● ●

A. Lectura y diálogo: Clínica San José—tratamiento de adicciones. Study the vocabulary and the reading, then listen to the conversation on the cassette tape. You may not understand every word. Here are some unfamiliar words you will hear:

resumir	to summarize	común	common
negativo	negative	repentina	sudden

Hay muchas medicinas disponibles[1] hoy y es necesario tener cuidado con las recetas. Las pastillas, cápsulas y pomadas sirven para muchos propósitos y curan muchas enfermedades pero también pueden presentar peligro cuando los pacientes no le revelan al médico todas las medicinas que están tomando. La interacción entre algunas medicinas puede causar efectos secundarios graves.

Otro problema que ocurre es el abuso de las drogas legales desde el alcohol hasta la morfina u otros narcóticos. Cuando la persona llega a tener una dependencia física o psicológica de alguna droga, presenta un problema difícil. El drogadicto o el alcohólico por lo general niega su adicción y resulta difícil que acepte tratamiento. En el diálogo una consejera sobre problemas del abuso de substancias adictivas, la Sra. Páez, habla en una clase para otros consejeros.

[1] *available*

 Now listen to the conversation on the cassette tape.

VOCABULARIO ÚTIL

la abstinencia	abstinence	la impotencia	impotence
la adicción	addiction	el insomnio	insomnia
la cardiomiopatía	cardiomyopathy	la morfina	morphine
la cirrosis	cirrhosis	la pancreatitis	pancreatitis
el consejero/la consejera	counsellor	la pérdida (de memoria)	loss (of memory)
el delírium tremens	delirium tremens, DTs	el programa de recuperación	recovery program
la desintoxicación	detoxification	narcótico/a	narcotic
el desmayo	blackout; faint	negar (ie)	to deny
el drogadicto/la drogadicta	drug addict		

Now complete these sentences with a word or phrase from the following list:

enfrentarse con la enfermedad, la desintoxicación, la cirrosis del hígado, el programa de recuperación, el consejero, una muerte repentina, abstinencia

1. El abuso del alcohol puede causar _____.

2. La cardiomiopatía grave puede resultar en _____.

3. El primer paso en el tratamiento del alcohólico es _____.

4. Después es necesario comenzar un _____.

5. Los consejeros tienen que ayudar al alcohólico a _____.

B. Complete the sentences with the appropriate conditional form of the verb.

1. El abuso del alcohol _____ efectos negativos pero el alcohólico típico

   _____ su dependencia. (tener, negar)

2. El consejero le dijo que un posible resultado del abuso del alcohol _____ la cirrosis

   y otro _____ ser la cardiomiopatía. (ser, poder)

3. Al dejar de consumir alcohol, una persona _____ efectos físicos a veces serios.
   (sufrir)

C. Aumenta tu vocabulario. Here are names of some other internal organs.

Algunos órganos internos

a. el ano (*anus*)
b. la aurícula (*auricle*)
c. el bazo (*spleen*)
d. el conducto biliar (*common bile duct*)
e. el diafragma (*diaphragm*)
f. la glándula tiroides (*thyroid gland*)
g. la próstata (*prostate*)
h. la válvula del corazón (*heart valve*)
i. la vejiga (*bladder*)
j. el ventrículo (*ventricle*)
k. la vesícula biliar (*gall bladder*)

Match the definition or description with a word from the list.

1. _____ Órgano que sólo tienen los hombres.

2. _____ Órgano que contiene y produce células sanguíneas.

3. _____ Glándula endocrina que controla algunas funciones.

4. _____ Sección inferior del corazón.

5. _____ Músculo que separa el abdomen del pecho.

6. _____ Órgano que contiene los orines.

D. Diálogo para completar. Provide appropriate responses to complete the following dialogue logically.

CLIENTE: Creo que mi hermano es alcohólico. ¿Cómo puedo estar seguro?

CONSEJERO: 1. _____

CLIENTE: ¿Qué problemas de salud pueden resultar si sigue tomando?

CONSEJERO: 2. _____

CLIENTE: ¿Qué puedo hacer yo?

CONSEJERO: 3. _____

CLIENTE: ¿Por dónde debemos comenzar?

CONSEJERO: 4. _____

E.   Entrevista. As the receptionist at the Clínica San José, you need to fill out this form with a patient. Listen as the patient introduces herself and briefly describes her problem. Record that information as you listen, then use this cue to ask her for additional information, which you will record under NOTAS: **¿todavía está tomando?**

Nombre y apellidos:_____

Condición médica a tratar:_____

Notas:_____

_____

_____

LECCIÓN 41

• •

A. Lectura y diálogo: Clínica San José—el abuso de las drogas. Study the vocabulary and the reading, then listen to the conversation on the cassette tape. You may not understand every word. Here are some unfamiliar words you will hear:

el nivel	level		**el gusto**	taste
el cambio	change			

La Sra. Páez es consejera de las personas que abusan del alcohol y de las drogas. Dio una clase sobre el alcoholismo a un grupo de futuros consejeros. Mencionó varios efectos físicos que pueden resultar del abuso del alcohol, como la hepatitis, la cirrosis y hasta la cardiomiopatía. Indicó que las primeras medidas para el tratamiento del alcohólico son la desintoxicación y el comienzo de un programa de recuperación. Para las personas adictas a otras drogas las primeras medidas son semejantes, pero los efectos pueden ser diferentes.

Cuando se piensa en un drogadicto, se piensa generalmente en una persona que consume cocaína, marihuana, heroína u otra substancia controlada. Pero también hay personas adictas a las drogas lícitas como los calmantes o los analgésicos como la morfina, la codeína u otra droga derivada del opio. Aquí la Sra. Páez habla de algunos conceptos sobre estas adicciones y su tratamiento.

 Now listen to the dialogue on the cassette tape.

VOCABULARIO ÚTIL

la alucinación	hallucination		**la paranoia**	paranoia
el alucinógeno	hallucinogen		**la psicosis**	psychosis
el calmante	tranquilizer		**el vértigo**	dizziness
la cocaína	cocaine			
la codeína	codeine		**adicto/a**	addicted
el delirio	delirium		**analgésico/a**	painkiller
la depresión	depression		**(i)lícito/a**	(il)legal
la heroína	heroin			
el opio	opium		**alterar**	to alter, change
			experimentar	to experience

Now complete these sentences with a word or phrase from the following list:

la marihuana, experimenta depresión, derivadas del opio, paranoia con alucinaciones, sea una dependencia, las drogas ilícitas, una receta médica

1. La drogas lícitas se consiguen con _____.

2. La receta le hace más difícil aceptar que _____.

3. Los alucinógenos pueden causar _____.

4. La codeína y la morfina son drogas _____.

5. Cuando no tiene la droga, el adicto _____.

B. Complete the sentences with the appropriate conditional form of the verb.

1. La receta le _____ al que abusa de las drogas lícitas un tipo de permiso y no las _____ fácilmente. (dar, dejar)

2. La Sra. Páez dijo que el drogadicto no _____ fácilmente su dependencia pero su adicción _____ evidente por los síntomas que _____ al dejar de tomar la droga. (admitir, ser, mostrar)

C. Aumenta tu vocabulario. Here are some parts of the face and neck. You have already learned some of them.

Anatomía de la cara y del cuello

a. la barbilla (*chin*)
b. la coronilla (*crown of the head*)
c. el cuello (*neck*)
d. la frente (*forehead*)
e. la garganta (*throat*)
f. el hoyuelo (*dimple*)

g. la mandíbula (*jaw*)
h. la mejilla (*cheek*)
i. la nuca (*nape of the neck*)
j. el pómulo (*cheekbone*)
k. la sien (*temple*)

Match the definition with a word from the list.

1. _____ La parte de la cara entre los ojos y el pelo.

2. _____ Uno de los huesos de las mejillas.

3. _____ Se encuentra en la parte más alta del cuerpo.

4. _____ La parte interior del cuello.

5. _____ El hueso que contiene los dientes.

D. Diálogo para completar. Provide appropriate responses to complete the following dialogue logically.

CLIENTE: ¿Cómo ocurre la adicción a las drogas lícitas?

CONSEJERA: 1. _____

CLIENTE: ¿Cómo se reconoce la adicción si la persona toma las drogas con permiso?

CONSEJERA: 2. _____

CLIENTE: ¿Y son iguales (*the same*) las drogas ilícitas?

CONSEJERA: 3. _____

CLIENTE: ¿Cómo se trata la dependencia de las drogas?

CONSEJERA: 4. _____

E. Entrevista. As the receptionist at the Clínica San José, you need to fill out this form with a patient. Listen as the patient introduces himself and briefly describes what he needs. Record that information as you listen, then use this cue to ask him for additional information, which you will record under **NOTAS: ¿qué problema tiene?**

Nombre y apellidos:_____

Condición médica a tratar:_____

Notas:_____

_____

_____

LECCIÓN 42

• •

A. Lectura y diálogo: Clínica San José—el consultorio del dentista. Study the vocabulary and the reading, then listen to the conversation on the cassette tape. You may not understand every word. Here are some unfamiliar words you will hear:

el agujero	hole	**acumular**	to accumulate
el dulce	sweets, candy		

Como lo explicó la Sra. Páez, las drogas, aun las lícitas, pueden ser peligrosas cuando se toman de forma no indicada. Los calmantes y los analgésicos pueden producir adicción si la persona los toma sin control. Es uno de los problemas graves de la sociedad moderna. Las medicinas tienen mucho valor en el tratamiento de ciertas enfermedades pero su abuso causa problemas.

Un lugar donde se usan las drogas analgésicas y la anestesia local es en el consultorio del dentista. Cuando es necesario sacar una muela o poner un empaste, es mucho menos doloroso[1] para el paciente si se le pone una inyección de novocaína. Al paciente no le gustan la jeringa y la aguja hipodérmica, pero la sesión en el sillón del dentista va mucho mejor si no se siente tanto dolor. En el diálogo, el Dr. Caro, el dentista, habla con Carlitos, un muchacho de doce años, sobre lo que va a hacer.

[1]*painful*

Now listen to the conversation on the cassette tape.

VOCABULARIO ÚTIL

el absceso	abscess	**la muela**	tooth, molar
la aguja hipodérmica	hypodermic needle	**la placa**	plaque
la dentadura postiza	dentures, false teeth	**el sarro**	tartar
el diente	tooth	**la seda/el hilo dental**	dental floss
el empaste	filling	**el sillón del dentista**	dentist's chair
la gingivitis	gingivitis	**el taladro**	drill
la infección/enfermedad de Vincent*	Vincent's infection, trench mouth		
la jeringa	syringe	**cariarse**	to decay (*tooth*)
		cepillarse	to brush
		limpiar	to clean

Now here is a series of statements. Indicate whether they are true (**cierto**) or false (**falso**).

C F 1. Carlitos tiene un empaste y necesita una caries.

C F 2. El dentista tiene que usar el taladro en la parte cariada.

C F 3. El dentista no quiere que Carlitos tenga una dentadura postiza.

C F 4. Carlitos espera tener gingivitis y abscesos.

C F 5. Carlitos dice que se va a cepillar bien los dientes.

B. Complete the sentences with the appropriate past subjunctive or conditional form of the verb, as appropriate.

1. El paciente _____ más dolor si no _____ anestesia local. (sentir, recibir)

2. Si el dentista no _____ la caries y no _____ un empaste, el paciente _____ el diente. (limpiar, poner, perder)

---

* Also: la angina diftérica

C. Aumenta tu vocabulario. Here are some words related to the mouth and teeth. You have already learned some of them.

La boca y los dientes

a. el colmillo (*canine tooth*)
b. la corona (*crown*)
c. la encía (*gum*)
d. el esmalte (*enamel*)
e. el incisivo (*incisor*)

f. el labio superior/inferior (*upper/lower lip*)
g. la lengua (*tongue*)
h. el paladar duro/blando (*hard/soft palate*)
i. la raíz (*root*)
j. la úvula (*uvula*)

Match the definition with a word from the list.

1. _____ Uno de los dientes más cerca de los labios.

2. _____ La parte blanca de los dientes.

3. _____ La parte superior de la boca.

4. _____ La parte de la boca que forma la sonrisa.

5. _____ La parte de los dientes y las muelas que no es visible.

6. _____ El diente generalmente más largo.

D. Diálogo para completar. Provide appropriate responses to complete the following dialogue logically.

PACIENTE: ¿Puede Ud. hacer algo para aliviarme el dolor de muela que tengo?

DENTISTA: 1. _____

PACIENTE: ¿Qué tendría que hacer para poner el empaste?

DENTISTA: 2. _____

PACIENTE: ¿Qué pasaría si no me pusiera el empaste?

DENTISTA: 3. _____

PACIENTE: ¿Qué hago para evitar más caries?

DENTISTA: 4. _____

E. Entrevista. As the receptionist at the Clínica San José, you need to fill out this form with a patient. Listen as the patient introduces himself and briefly describes his problem. Record that information as you listen, then use this cue to ask him for additional information, which you will record under **NOTAS: ¿cuánto tiempo?**

LECCIÓN 43

• •

A. Lectura y diálogo: Clínica San José—los primeros auxilios (1). Study the vocabulary and the reading, then listen to the conversation on the cassette tape. You may not understand every word. Here are some unfamiliar words you will hear:

sencillo	simple	profunda	deep
sujetar	to fasten	cerrar	to close

Un dolor de muelas puede parecer serio para la persona que lo sufre, pero se cura con una aspirina o una visita al dentista y un empaste en la caries. Pero hay otras emergencias que requieren cuidado inmediato antes de que se pueda llevar a la persona al médico o a la sala de urgencias del hospital. Así que todos debemos tener algunas cosas en el botiquín para ofrecer primeros auxilios en caso de un accidente en casa, que es donde ocurren la mayoría de los accidentes. También pueden ocurrir problemas menores como las hemorragias nasales tan comunes entre los niños y las picaduras[1] de insectos como las abejas.[2] Las hemorragias en general requieren atención. Alguien tiene que aplicar presión en el lugar apropiado para evitar la pérdida de gran cantidad de sangre. En el diálogo la enfermera, la Srta. Cuadros, les explica algunas cosas a los Sres. Moreno.

[1]*stings* [2]*bees*

Now listen to the conversation on the cassette tape.

VOCABULARIO ÚTIL

el botiquín	medicine chest	el trauma	trauma
la curita	Band-Aid	la venda	bandage
el esparadrapo	adhesive tape		
la gasa	gauze	afilado/a	sharp
la hemorragia nasal	nosebleed	esterilizado/a	sterile, sterilized
el labio	lip, edge (*of a wound*)		
las pinzas	tweezers	detener (ie)	to stop, arrest
la presión	pressure	sanar	to heal, be cured
los primeros auxilios	first aid	suturar	to suture
el punto	stitch	vendar	to bandage
las tijeras	scissors		

Now here is a series of statements. Indicate whether they are true (**cierto**) or false (**falso**).

C F 1. La gasa y el esparadrapo sirven para vendar las heridas.

C F 2. En el botiquín de primeros auxilios debe haber suturas y pinzas.

C F 3. Se detiene la hemorragia aplicando presión a la herida.

C F 4. El médico debe suturar los labios de una herida muy profunda.

C F 5. Las picaduras de los insectos nunca son un problema grave.

B. Complete the sentences with the appropriate past perfect form of the verb.

1. Carlos _____ un traumatismo y la ambulancia lo _____ al hospital. (sufrir, llevar)

2. Los Sres. Moreno _____ qué cosas debían tener en el botiquín. (preguntar)

3. Juan y yo ya _____ la hemorragia y después el médico _____ la herida. (detener, suturar)

C. Aumenta tu vocabulario. Here are some words related to the eye and the ear. You have already learned some of them.

El ojo y el oído

el ojo (*eye*)   el oído (*ear; sense of hearing*)
la ceja (*eyebrow*)   el conducto auditivo (*auditory canal*)
la córnea (*cornea*)   el equilibrio (*equilibrium*)
el globo ocular (*eyeball*)   el lóbulo de la oreja (*earlobe*)
el iris (*iris*)   el tímpano (*eardrum*)
el párpado (*eyelid*)   el oído medio (*middle ear*)
la pestaña (*eyelash*)   el oído interno (*inner ear*)
la pupila (*pupil*)   la oreja (*outer ear*)
la retina (*retina*)   la trompa de Eustaquio (*Eustachian tube*)

Complete these sentences with words or phrases from the list.

El pelo sobre el ojo es la _____[1] y el pelo fino del párpado es la _____.[2]

La retina es la parte posterior del _____.[3] Lo que se conoce como el color de los ojos

es el color del _____[4] y de la _____.[5]

La parte más externa del sistema auditivo es la _____;[6] después viene el

_____[7] y luego el _____.[8] La parte más interna (de la lista) es la

_____.[9]

D. Diálogo para completar. Provide appropriate responses to complete the following dialogue logically.

SRA. MORENO: ¿Qué debo hacer cuando hay hemorragia en una herida?

ENFERMERA: 1. _____

SRA. MORENO: ¿Qué necesito para vendar la herida?

ENFERMERA: 2. _____

SRA. MORENO: ¿Cómo puedo saber si es muy grave?

ENFERMERA: 3. _____

SRA. MORENO: ¿Qué tengo que saber de las picaduras de insectos?

ENFERMERA: 4. _____

E. Entrevista. As the receptionist at the Clínica San José, you need to fill out this form with a patient. Listen as the patient introduces herself and briefly describes her problem. Record that information as you listen, then use this cue to ask her for additional information, which you will record under **NOTAS: ¿cuándo pasó?**

Nombre y apellidos:_____

Condición médica a tratar:_____

Notas:_____

_____

_____

LECCIÓN 44

• •

A. **Lectura y diálogo: Clínica San José—los primeros auxilios** (2). Study the vocabulary and the reading, then listen to the conversation on the cassette tape. You may not understand every word. Here are some unfamiliar words you will hear:

consistir en	to consist of
aflojar	to loosen
próximo	next

La Srta. Cuadros ya les sugirió a los Moreno que tuvieran materiales para las vendas como gasa esterilizada y esparadrapo en su botiquín. Les dijo que las picaduras de abejas no producen más que una hinchazón en la piel si la persona no tiene alergia. Si es alérgica, la epinefrina[1] puede administrarse por inyección. Si la persona tiene una herida profunda es posible que sea necesario suturarla y es mejor llevar a la víctima al hospital o a su médico de cabecera.

   Además de[2] las vendas, también es bueno tener algunas soluciones útiles. El agua oxigenada es muy útil para esterilizar una herida y la aspirina y acetominofena son buenas para aliviar los dolores menores. Ahora la Srta. Cuadros va a explicarles qué otras medicinas pueden incluir[3] en el botiquín de primeros auxilios. También hay ciertas técnicas[4] útiles que toda persona debe conocer.

[1]*epinephrine* [2]*Además... Besides* [3]*include* [4]*techniques*

 Now listen to the conversation on the cassette tape.

VOCABULARIO ÚTIL

el abrazo	hug	**el puño**	fist
la acetaminofena	acetominophen	**la resucitación**	resuscitation
el agua oxigenada	hydrogen peroxide		
la hidrocortisona	hydrocortisone	**antiséptico/a**	antiseptic
el hielo	ice	**cardiopulmonar**	cardiopulmonary
el hinchazón	swelling		
la maniobra de Heimlich	Heimlich maneuver	**asfixiar**	to asphyxiate, suffocate
el médico/la médica	family doctor	**atragantarse con**	to choke on
de cabecera		**esterilizar**	to sterilize
		salvar	to save

Now here is a series of statements. Indicate whether they are true (**cierto**) or false (**falso**).

C F 1. El agua oxigenada se usa para lavar las heridas.

C F 2. El oxígeno puede producir daños cerebrales.

C F 3. La hidrocortisona ayuda a reducir la comezón.

C F 4. La maniobra de Heimlich es para ayudar a la persona que se asfixia.

C F 5. Es muy difícil aprender a usar la resucitación cardio-pulmonar.

B. Complete the sentences with the appropriate past perfect form of the verb.

1. La Srta. Cuadros le _____ la maniobra de Heimlich a una persona que

_____ con un poco de carne y la víctima no _____. (hacer, atragantarse, morir)

2. El Sr. Moreno _____ agua oxigenada en la herida y la _____ bien. (poner, lavar)

C. Aumenta tu vocabulario. Here are some words related to the human sexual organs.

Los órganos sexuales

la mujer	el hombre
el clítoris (*clitoris*)	el conducto deferente/espermático
los labios de la vulva	(*vas deferens*)
(*lips/ labia of the vulva*)	el escroto (*scrotum*)
el ovario (*ovary*)	el pene (*penis*)
el óvulo (*ovum, egg*)	el prepucio (*foreskin*)
la trompa de Falopio (*Fallopian tube*)	el testículo (*testicle*)
el útero (*uterus*)	
la vagina (*vagina*)	

Complete the descriptions with words from the list.

1. Para evitar el embarazo se puede atar (*to tie*) el _____ del hombre o la _____ de la mujer.

2. El escroto contiene los _____ del hombre.

3. Lo que produce los óvulos en la mujer son los _____.

4. La mujer lleva el feto en el _____.

5. El prepucio es parte del _____ del hombre.

D. Diálogo para completar. Provide appropriate responses to complete the following dialogue logically.

SR. MORENO: ¿Qué medicinas se deben tener en el botiquín?

ENFERMERA: 1. _____

SR. MORENO: ¿Y qué es bueno para el dolor?

ENFERMERA: 2. _____

SR. MORENO: ¿Qué técnicas de primeros auxilios debo aprender?

ENFERMERA: 3. _____

SR. MORENO: ¿Y cuándo se usa la resucitación cardiopulmonar? ¿Para qué es?

ENFERMERA: 4. _____

E. Entrevista. As the receptionist at the Clínica San José, you need to fill out this form with a patient. Listen as the patient introduces herself and briefly explains what she wants. Record that information as you listen, then use this cue to ask her for additional information, which you will record under **NOTAS: ¿qué problema tiene?**

Nombre y apellidos:_____

Condición médica a tratar:_____

Notas:_____

_____

_____

LECCIÓN 45

• • • • • • • • • • • • • • • • • • • •

A. Lectura y diálogo: Clínica San José—las enfermedades infecciosas. Study the vocabulary and the reading, then listen to the conversation on the cassette tape. You may not understand every word. Here are some unfamiliar words you will hear:

establecerse   to become established   **reproducirse**   to reproduce
la severidad   severity

Las enfermedades infecciosas y los parásitos son problemas constantes para la salud pública. Los niños son inmunizados desde muy temprano para evitar que contraigan enfermedades contagiosas y para evitar que contagien a los otros niños. Así que las infecciones como la viruela o la polio casi no ocurren hoy día en los Estados Unidos. En otros casos se elimina la enfermedad eliminando el agente que lleva el microbio o el parásito, como en el caso del mosquito anófeles y la malaria.

Pero sigue la amenaza[1] del contagio de varios parásitos. Los piojos, por ejemplo, pueden infectar a las personas que están en contacto con otra persona infectada. Los seres humanos[2] contraen pulgas de los animales. Pero los parásitos más comunes son los intestinales. Por lo general se contraen al ingerir algo que lleva la larva del organismo que después crece en algún órgano del huésped.[3] La mayoría de los parásitos son del grupo de las lombrices intestinales, como le explica el Dr. Borbón a la Sra. Díaz.

[1]*threat* [2]*seres... humans* [3]*host*

Now listen to the conversation on the cassette tape.

VOCABULARIO ÚTIL

la anemia	anemia	**la pulga**	flea
el anquilostoma	hookworm	**la tenia**	tapeworm
la ascáride	ascarid	**la triquinosis**	trichinosis
los calambres (abdominales)	(abdominal) cramps	**la viruela**	smallpox
el contagio	contagion		
la disnea	dyspnea, labored breathing	**infeccioso/a**	infectious
		contagiar	to transmit
la lombriz	worm	**toser**	to cough
el parásito	parasite	**tragar**	to swallow

Now read the following statements and indicate with an X those that are mentioned in the reading or the dialogue.

1. _____ Los parásitos intestinales son generalmente lombrices.

2. _____ Los piojos son un problema muy grande en ciertas áreas.

3. _____ El anquilostoma es un parásito común que entra por la piel.

4. _____ Los primeros síntomas son la tos y la disnea.

5. _____ Es importante lavarse muy bien las manos.

6. _____ Ya no hay triquinosis ni tenia a causa de los antibióticos.

B. Complete the sentences with the appropriate past perfect subjunctive form of the verb.

1. La madre esperaba que el niño no _____ anquilostoma y que no

   _____ a toda la familia. (contraer, contagiar)

2. No le gustaba que los médicos le _____ una inyección al niño sin

   que ella le _____ su permiso. (poner, dar)

3. Se alegraba de que su hijo no _____ de calambres abdominales.
   (sufrir)

C. La correspondencia. In this repeating section of the next three lessons you will learn some of the basics of formal correspondence in Spanish. If learning correspondence in Spanish is an important professional goal, you can study the topic in greater detail with one of the many specialized textbooks currently available. Business correspondence in Spanish has a very particular style and vocabulary; these sections are just an introduction to it.

- **La fecha.** The date is placed as in a letter in English, according to the following format.

  Los Ángeles, 15 de enero de 1993

  If the letterhead indicates the city of origen, the city is not included with the date. Note that **el** is not used with the date.

- **El destinatario.** The inside address is also placed as in a letter in English. In the United States, the same format is used as in English. If the addressee is in a Hispanic country, the format is as follows.

  Sr. don Juan Rivera (Sra. doña María Alonso, Srta. María Cano)
  Clínica Fernández
  Avenida Bazán, 34
  MÉXICO 15, D.F. (MÉXICO)

  Note that the number follows the street name, usually after a comma.

  Practice using these formats in the following situations.

1. Begin a letter from New York on Christmas day to Dra. Carlota García of Servicios Médicos Hispánicos, at 234 Castaño Road in Miami, 33152.

_____

_____

_____

_____

_____

2. Begin a letter to Dr. Ramón Benítez of the Clínica Palenque, at number 367 Calle Martínez in Mérida, Mexico, written on the fourth of July from San Francisco.

_____

_____

_____

_____

D. Diálogo para completar. Provide appropriate responses to complete the following dialogue logically.

PACIENTE: ¿Cómo se reconocen los parásitos externos? ¿Qué síntomas presentan?

MÉDICO: 1. _____

PACIENTE: Los intestinales son más difíciles de diagnosticar, ¿no?

MÉDICO: 2. _____

PACIENTE: ¿Qué síntomas producen?

MÉDICO: 3. _____

PACIENTE: ¿Cómo se evitan las lombrices intestinales?

MÉDICO: 4. _____

E. Entrevista. As the receptionist at the Clínica San José, you need to fill out this form with a patient. Listen as the patient introduces herself and briefly describes why she has come. Record that information as you listen, then use this cue to ask her for additional information, which you will record under NOTAS: **¿tiene algún síntoma?**

Nombre y apellidos:_____

Condición médica a tratar:_____

Notas:_____

_____

_____

LECCIÓN 46

• •

A. Lectura y diálogo: Clínica San José—las enfermedades de transmisión sexual. Study the vocabulary and the reading, then listen to the conversation on the cassette tape. You may not understand every word. Here are some unfamiliar words you will hear:

igual the same **correr el riesgo** to run the risk

Los parásitos son un problema generalizado en algunas partes del mundo. Son organismos que invaden el cuerpo humano de varias maneras.[1] En la mayoría de los casos no son muy peligrosos y se eliminan por sí solos.[2] Presentan síntomas, a veces serios y otras veces menores, pero el efecto común es que la persona, frecuentemente un niño, se siente débil y muy fatigada. No saca buenas notas en la escuela y pierde el interés y el entusiamo normales de la niñez.

Otras enfermedades, las cuales tienen efectos más serios, son las enfermedades de transmisión sexual. Entre las enfermedades infecciosas, como la hepatitis, que se pueden transmitir sexualmente, están las enfermedades bacterianas tradicionales como la gonorrea, la sífilis y la clamidia. Hay otras que se han diagnosticado más recientemente como infecciones virales, como el herpes genital y el SIDA. Todas tienen en común el contraerse casi siempre por medio del contacto sexual. Las infecciones bacterianas se curan generalmente con antibióticos; las virales no se pueden curar. El Dr. Bartos le habla con Néstor Sánchez de algunas de estas enfermedades.

[1]*ways* [2]*por... by themselves*

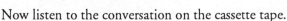

Now listen to the conversation on the cassette tape.

VOCABULARIO ÚTIL

la ceguera	blindness	**asintomático/a**	asymptomatic
la clamidia	chlamydia	**purulento/a**	purulent
la costra	scab	**venéreo/a**	venereal
la gonorrea	gonorrhea		
el herpes genital	genital herpes	**brotar**	to break out
el período latente	incubation period	**diagnosticar**	to diagnose
la quemazón	burning	**orinar**	to urinate
la sífilis	syphilis		
la uretra	urethra		

Now read the following statements and indicate with an X those that are mentioned in the reading or the dialogue.

1. _____ La gonorrea y la sífilis son infecciones causadas por bacterias.

2. _____ Los ciegos no sufren de enfermedades infecciosas.

3. _____ Las infecciones virales sólo aparecen en ciertos lugares.

4. _____ La mujer con gonorrea a veces no presenta síntomas.

5. _____ La clamidia es una causa importante de la ceguera.

6. _____ La sífilis y el herpes pasan por períodos latentes en que no presentan síntomas.

B. Complete the sentences with the appropriate past perfect subjunctive and conditional perfect forms of the verbs.

1. Si el joven _____ la sífilis, el médico le

_____ antibióticos y le _____ que no

tuviera relaciones sexuales. (contraer, recetar, decir)

2. Si las secreciones de la clamidia _____ contacto con los ojos, eso

_____ la ceguera del niño. (tener, causar)

C. **La correspondencia.**

- **Saludos.** These salutations are often used in Spanish.

  Señor: (*Sir:*)
  Señores: (*Sirs:, Gentlemen:*)
  Estimado(s) señor(es)   (*Dear Sir[s]:*)
  Distinguido/a Señor(a):   (*Dear Sir:, Dear Madam:*)
  Estimado colega: (*Dear Colleague:*)
  Srta. Elena Garza: (*Miss [Ms.] Elena Garza:*)

- **The introductory paragraph.**

  Acuso/Acusamos recibo de su atenta carta del trece del corriente...
      (*I/We acknowledge receipt of your kind letter of the 13th of this month . . .*)
  Tengo el gusto de informarle...   (*I am pleased to report to you . . .*)
  En contestación a su grata carta de...   (*In answer to your letter of . . .*)
  El propósito de la presente es...   (*The purpose of this letter is . . .*)

- **Shortened forms.**

  ésta   (*this letter*)
  la presente   (*this letter*)
  su atenta   (*your kind letter*)
  el presente   (*this year/month*)
  Acuso recibo de su atenta (carta) de mayo del presente (año).
      (*I acknowledge receipt of your kind letter of May of this year.*)

Practice using these phrases in the following situation.

Begin a letter from Sacramento on the third of June to Mrs. Beatriz González of the Corona Co. at 901 W. 38th Street, NY, 10001. Write an introductory sentence acknowledging receipt of an insurance form which you have completed and are returning.

_____

_____

_____

_____

_____

D. **Diálogo para completar.** Provide appropriate responses to complete the following dialogue logically.

PACIENTE: ¿Las enfermedades venéreas se curan con antibióticos?

MÉDICO: 1. _____

PACIENTE: ¿Resultan muy graves sin tratamiento?

MÉDICO: 2. _____

PACIENTE: ¿Qué enfermedades no se pueden curar?

MÉDICO: 3. _____

PACIENTE: ¿Qué se puede hacer con las infecciones virales?

MÉDICO: 4. _____

E. Entrevista. As the receptionist at the Clínica San José, you need to fill out this form with a patient. Listen as the patient introduces himself and briefly describes his problem. Record that information as you listen, then use this cue to ask him for additional information which you will record under **NOTAS: ¿qué síntomas tiene?**

Nombre y apellidos:_____

Condición médica a tratar:_____

Notas:_____

_____

_____

LECCIÓN 47

A. Lectura y diálogo: Clínica San José—el SIDA. Study the vocabulary and the reading, then listen to the conversation on the cassette tape. You may not understand every word. Here are some unfamiliar words you will hear:

única	only		rechazar	to fight off
la manera	way		prematura	premature

Muchas de las enfermedades transmitidas sexualmente se curan con antibióticos y por eso no son tan peligrosas como lo eran antes. En el caso de la gonorrea y la sífilis, es cuestión de diagnosticarlas y tratarlas antes de que haya complicaciones. El herpes no se cura pero se puede controlar. Pero en 1981 surgió[1] una nueva enfermedad que se contrae principalmente por el contacto sexual: el síndrome de inmunodeficiencia adquirida o SIDA. Esta enfermedad es casi siempre mortal y no hasta este momento no hay ni cura ni vacuna. El único método de control es la prevención por medio de precauciones en las relaciones sexuales y en el uso de las jeringas y agujas hipodérmicas. El virus se transmite por medio del[2] semen, la sangre o las secreciones vaginales. La saliva y otros fluidos corporales pueden contener el virus, pero no se cree que la enfermedad se transmita así. El Dr. Cortés le habla a un joven, Carlos Guzmán, de esta terrible enfermedad.

[1]*appeared* [2]por... *by means of*

 Now listen to the conversation on the cassette tape.

VOCABULARIO ÚTIL

el condón	condom	el SIDA (el síndrome de inmunodeficiencia adquirida)	AIDS (acquired immunodeficien... syndrome)
la infección oportunista	opportunistic infection		
el fluido corporal	bodily fluid		
el/la heterosexual	heterosexual (person)	la pulmonía*	pneumonia
el/la homosexual	homosexual (person)	el sarcoma de Kaposi	Kaposi's sarcoma
el preservativo	condom	el sistema inmunológico	immune system
el profiláctico	condom	la tuberculosis	tuberculosis
el HIV (el virus de inmunodeficiencia humano)	HIV (human immunodeficiency virus)	establecerse	to become establishe...
		invadir	to invade

Now read the following statements and indicate with an X those that are mentioned in the reading or the dialogue.

1. _____ El SIDA se transmite por medio de algunos de los fluidos corporales.

2. _____ Es necesario dedicarle más dinero a la búsqueda de una cura y una vacuna contra el SIDA.

3. _____ El SIDA ataca al sistema inmunológico y permite establecerse infecciones oportunistas.

4. _____ El SIDA parece transmitirse por medio de las jeringas sin esterilizar.

5. _____ La pulmonía y la tuberculosis son dos enfermedades que infectan a los que tienen el SIDA.

6. _____ Algunos preservativos no son efectivos par evitar la transmisión del SIDA.

---

*Also: **la neumonía**

B. Complete the sentences with the appropriate subjunctive form of the verb.

1. Es bueno usar un preservativo en las relaciones sexuales en caso de que el otro

   _____ portador del virus del SIDA. (ser)

2. El médico le habló del SIDA a Carlos para que _____ cuidado y no

   _____ el peligro de la enfermedad. (tener, olvidar)

3. Dijo el médico que había peligro a menos que la otra persona _____ una persona conocida. (ser)

C. La correspondencia. More parts of a business letter.

- **El cierre.** The closing is placed as in English. Note that it is not usually followed by a comma.

   Sinceramente (*Sincerely,*)
   Atentamente (*Sincerely,*)
   Sin otro particular, saludamos a Uds. muy atentamente (*We remain yours truly,*)
   En espera de su respuesta, quedo de Ud. atentamente (*Awaiting your reply, I remain yours truly,*)

- **La firma.** Signatures have a slightly different form for Hispanic countries.

   CLÍNICA SAN JOSÉ

   Dr. José García Polanco

   Dr. José García Polanco
   Administrador

   The name of the organization precedes the signature, and the writer's title or official position follows his or her typed name.

- **El destinatario.** The address on the envelope has essentially the same form as the inside address. The city and country (if mailed from abroad) are usually capitalized.

   Sr. don Jorge Ulloa Campos
   Alcalá, 453
   MADRID 28037
   SPAIN

Practice what you have learned about correspondence in the past three lessons by writing a short letter to ask for information about a payment you have not received. Sign the letter as you would sign your own letters. Use business-size stationery and a real envelope.

D. Diálogo para completar. Provide appropriate responses to complete the following dialogue logically.

PACIENTE: ¿Cuál es la forma más común de contraer el SIDA?

DOCTORA: 1. _____

PACIENTE: ¿Es siempre una enfermedad mortal?

DOCTORA: 2. _____

PACIENTE: ¿Qué enfermedades se asocian oportunistas con el SIDA?

DOCTORA: 3. _____

PACIENTE: ¿Cómo se evita el contagio?

DOCTORA: 4. _____

E. **Entrevista.** As the receptionist at the Clínica San José, you need to fill out this form with a patient. Listen as the patient introduces himself and briefly explains why he has come. Record that information as you listen, then use this cue to ask him for additional information, which you will record under NOTAS: **¿cree que puede ser infectado con virus?**

Nombre y apellidos:_____

Condición médica a tratar:_____

Notas:_____

_____

_____

LECCIÓN 48

• • • • • • • • • • • • • • • • • • • •

A. **Repaso: El Consultorio Médico Fernández.** Complete the paragraph with words from the list. Use the form of the word (singular, plural, conjugated verb form, etc.) that best fits the Spanish sentence.

adelgazarse	el feto	la prueba
la alimentación	la fiebre	la receta
aumentar	el ginecólogo	el reconocimiento
la diabetes	el grupo sanguíneo	el resfriado
diagnosticar	el hierro	la sala de espera
la ecografía	el paciente	la salud
embarazada	el parto	sano
la enfermedad	la precaución	síntoma
engordarse		

En la _____ ^{1} de un consultorio hay _____ ^{2} con _____ ^{3} diferentes. Al llegar los pacientes se les pregunta qué _____ ^{4} tienen y se les hacen _____ ^{5} para averiguar lo que tienen. Los médicos, después de _____ ^{6} las enfermedades deciden qué _____ ^{7} necesitan los enfermos. Recetan medicinas para las personas con infecciones y para los niños que tienen _____ ^{8} porque sufren de un _____ ^{9} común.

Los _____ ^{10} atienden a muchas mujeres _____ ^{11} que necesitan tomar ciertas _____ ^{12} durante los nueve meses antes del _____ .^{13} Los ginecólogos hacen _____ ^{14} para ver si el _____ ^{15} está bien dentro del útero de la madre. También tienen que hacer _____ ^{16} de sangre para analizar la situación y para saber si los dos padres tienen el mismo _____ ^{17} o si es necesario preocuparse por eso. Hacen otros exámenes para saber si la madre tiene alguna enfermedad como la _____ ^{18} que es peligroso para las mujeres embarazadas.

Muy importantes son los consejos que dan los médicos sobre el régimen de _____ ^{19} que debe seguir la madre para mantener su buena _____ ^{20} durante el embarazo. La mujer embarazada siempre _____ ^{21} pero no le gusta _____ ^{22} de peso excesivamente porque es más difícil _____ ^{23} después. Necesita frecuentemente suplementos de ciertos minerales como el _____ .^{24} Es importante tener mucho cuidado para tener un bebé _____ .^{25}

B.   Entrevista. As the receptionist at the Consultorio Médico Fernández you need to fill out this form with a patient. Listen as the person introduces herself and briefly describes her medical needs. Record that information as you listen, then use this cue to ask her for additional information, which you will record under **ENFERMEDAD O SÍNTOMAS:** ¿**qué asunto quiere consultar?**

Nombre y apellidos:_____

Servicio deseado:_____

Enfermedad o síntomas:_____

_____

_____

LECCIÓN 49

. . . .

A. Repaso: La nutrición y la salud. Complete the paragraph with words from the list. Use the form of the word (singular, plural, conjugated verb form, etc.) that best fits the Spanish sentence.

aeróbico	el carbohidrato	la grasa
el alimento	cardíaco	grasiento
el almidón	cerebral	el metabolismo
la angina	el colesterol	la obesidad
el aparato digestivo	la dieta	la presión arterial
la arteria	la diverticulosis	el pulso
el bienestar	el estreñimiento	el régimen
la caloría	el estudio	el riesgo

Hoy día mucha gente pone atención en la nutrición. Todos queremos tener una

_____¹ saludable. Cada día hay más y más _____² científicos que nos

dicen qué cosas no se deben comer. Las _____³ saturadas que tienen mucho

_____⁴ son especialmente malas. Aportan muchas _____⁵ a la dieta y

también dejan depósitos _____⁶ en las _____⁷ y parecen causar la

aterosclerosis, que produce la _____⁸ de pecho y también ataques _____⁹

y _____.¹⁰ Es evidente que la carne es una cosa que se debe comer con moderación.

Un _____¹¹ que parece ser importante es la fibra, que es buena para el

_____¹² y reduce el _____¹³ del cáncer del colon y también el de la

_____,¹⁴ otra enfermedad del colon. También ayuda a evitar el _____.¹⁵

Las frutas son buenos alimentos porque contienen fibra y _____¹⁶ complejos y

menos calorías que las grasas. Los cereales son recomendables por la cantidad de

_____¹⁷ que contienen.

La dieta saludable se debe combinar con el ejercicio _____¹⁸ para aumentar el

sentimiento de _____¹⁹ y para reducir la _____²⁰ si se tiene alta. Esa

combinación de alimentación equilibrada y ejercicio físico controla el _____²¹ y la

frecuencia del _____.²² Así se elimina la necesidad de ponerse a _____²³

para no engordar y evitar la _____.²⁴

B. Entrevista. As the receptionist at the weight loss clinic you need to fill out this form with a new patient. Listen as he introduces himself and tells you what he wants to do about his weight. Record that information as you listen, then use this cue to ask him for additional information, which you will record under **DIETA NORMAL: ¿cómo es su dieta típica? ¿qué cosas come por lo general?**

Nombre y apellidos:_____

Peso actual:_____ Peso deseado:_____

Dieta normal:_____

_____

_____

LECCIÓN 50

A. Repaso: Los problemas médicos de urgencia. Complete the paragraph with words from the list. Use the form of the word (singular, plural, conjugated verb form, etc.) that best fits the Spanish sentence.

el brazo	envenenar	la pierna
la caída	el grado	el radiólogo
la camilla	el hueso	la substancia
el daño	inhalar	tóxico
de turno	la insolación	la traqueotomía
de urgencia	internar	el veneno
la deshidratación	la ortopedia	vomitar
destrozado	la piel	

Los pacientes de la sala de urgencias frecuentemente llegan en una ambulancia, acostados en una _____.[1] Viene gente que se ha hecho _____[2] en un accidente de automóvil o en una _____[3] en su casa. A veces tiene algún _____[4] roto en la _____[5] o el _____[6] o tal vez tiene la mano _____[7] por alguna máquina. Necesita que el _____[8] le saque unos rayos X y que el especialista en _____[9] examine la fractura.

Otra emergencia común ocurre cuando un niño ingiere algo _____[10] y se _____[11] gravemente. En el hospital el médico tiene que hacerle _____.[12] Hay plantas que contienen _____[13] pero otras _____[14] tóxicas, como los insecticidas son un problema más común.

Durante las épocas de mucho calor, un problema frecuente es la _____[15] que puede ocurrir cuando una persona se queda al sol por mucho tiempo. Eso puede producir quemaduras en la _____[16] cuando no se aplica una crema antisolar. La persona también sufre de _____[17] si no toma suficiente agua en esa situación. Claro que las quemaduras más serias que las del sol son frecuentes para los médicos de la sala de urgencia. Puede haber mucho peligro con las quemaduras de segundo _____.[18] Frecuentemente se incendia la ropa y la víctima _____[19] el fuego y no puede respirar bien. Los médicos tienen que hacerle una _____[20] en ese caso.

Es muy interesante para los médicos estar _____[21] en la sala de urgencias. Después de tomar las medidas _____,[22] a veces tienen que _____[23] a los pacientes graves en el hospital.

B. Entrevista. As the receptionist in the emergency room you need to fill out this form with the mother of a young patient who has just been brought in. Listen as she gives her name and address. Record that information as you listen, then use this cue to ask her for additional information, which you will record under **SINTOMAS: ¿qué problema tiene?**

Nombre y apellidos del paciente:_____

Domicilio:_____

Síntomas:_____

_____

_____

Lección 51

• •

A. Repaso: La pediatría. Complete the paragraph with words from the list. Use the form of the word (singular, plural, conjugated verb form, etc.) that best fits the Spanish sentence.

el abandono	estornudar	preocuparse
el adolescente	exponer	recién nacido
el aumento de peso	la guardería	la rubéola
contraer	la ictericia	rutinario
el desarrollo	la inmunización	severo
la desnutrición	la niñez	el tétanos
la diarrea	el pediatra	la tos ferina
la difteria	poliomielitis	la vacuna
endocrina		

Las enfermedades de los niños tienen mucha importancia para la medicina. Desde los

_____[1] de un mes de edad hasta los _____[2] de 15 años, los niños son la

responsabilidad de los adultos y éstos _____[3] mucho cuando el niño se pone

amarillo con la _____[4] común. Cada vez que un resfriado le da _____[5] o

le hace _____,[6] queremos llevarlo al _____.[7]

Una gran preocupación es que el _____[8] del niño sea normal. Se sigue muy de

cerca el peso del bebé. Es importante que haya un _____[9] regular porque eso

significa que crece normalmente. Las razones por los problemas con el crecimiento pueden

tener su causa en la glándula _____,[10] pero también pueden venir de la

_____[11] cuando la alimentación no es adecuada o pueden ser resultado del

_____[12] del niño por los padres.

Otra precaución que se toma con los niños es la _____[13] contra varias

enfermedades. En los primeros meses de vida se les pone la _____[14] combinada

DTP contra la _____,[15] la _____[16] y el _____.[17] También se

les vacuna contra la _____,[18] o sarampión alemán, y contra la _____,[19]

dos enfermedades que antes tenían consecuencias muy _____.[20]

Claro, cuando los niños van a la escuela o a una _____,[21] es probable que se

_____[22] a enfermedades menores y que _____[23] algunas de ellas. Y es

bueno recordar que la mayoría de los niños tienen una _____[24] normal y

_____[25] sin graves problemas.

B. Entrevista. As the receptionist in a pediatrician's office you need to fill out this form with the mother of a new patient. Listen as she tells you her name and the baby's name and age. Record that information as you listen, then use this cue to ask her for additional information, which you will record under SERVICIO DESEADO: ¿tiene algún problema el niño?

Nombre y apellidos:_____

Nombre del niño:_____

Edad del niño:_____

Servicio deseado:_____

_____

_____

APPENDIX

LECCIÓN 1
General meaning of the advertisement: Dr. Mederos is a specialist in internal medicine, heart, vascular, and stomach problems, as well as diabetes and varicose veins. He has offices in the three boroughs mentioned and accepts all kinds of insurance.

LECCIÓN 2
A. 1. Cierto. 2. Falso. El padre de Pilar está enfermo. 3. Falso. El médico está en su casa con su hija. 4. Falso. Don Mario tiene otros pacientes en el consultorio.
B. 1. El, una, la, un 2. un (el) 3. la 4. El, una 5. Los, el
C. 1. Pilar 2. padre 3. Mario 4. José (el recepcionista)

LECCIÓN 3
A. 1. b 2. b 3. a 4. a 5. a
B. 1. habla 2. están, entran 3. desea 4. pregunta, tiene 5. Hay
C. 1. El Consultorio Médico Fernández está en la calle 12. 2. Laura necesita ir al consultorio. 3. Laura está enferma. 4. Laura necesita tres dólares para el taxi.

LECCIÓN 4
A. 1. Cierto. 2. Falso. Laura visita a sus abuelos para ayudarles con la limpieza. 3. Falso. A la abuela le gustan los animales y tiene dos gatos.
4. Cierto.
B. 1. Ayudo... 2. Visito... 3. Escribo... 4. Tomo... 5. Vivo...
C. 1. (Laura) Tiene fiebre, dolor de garganta y de cabeza. 2. (Los viernes) Laura va a la casa de los abuelos (para ayudar con la limpieza). 3. (Hay animales en la casa de los abuelos) Porque a la abuela le gustan mucho (los animales). 4. El diagnóstico del médico es alergia a los gatos.

LECCIÓN 5
A. 1. Cierto. 2. Falso. Charo tiene fiebre en la cara, cerca del ojo. 3. Cierto. 4. Cierto.
B. 1. Llegamos... 2. Mañana tomamos... 3. Examinamos... 4. Ayudamos... 5. Nunca comprendemos...
C. 1. (Charo) Tiene el ojo derecho irritado. Desde el sábado (tiene el ojo irritado). 2. (Charo) Tiene fiebre en la cara, cerca del ojo. Tiene la cara hinchada. 3. (La infección) Puede entrar por un rasguño. 4. (Charo) Debe tomar un antibiótico para la infección.

LECCIÓN 6
B. 1. desea 2. antibióticos 3. infección 4. visita 5. paciente 6. enfermo 7. consultorio 8. síntomas 9. dolor 10. fiebre 11. garganta 12. irritada 13. diagnóstico 14. tratamiento 15. alergia 16. receta 17. droga antihistamínica 18. hay 19. carta 20. mujer 21. hijo 22. abogada 23. viaja 24. regreso

LECCIÓN 7
A. 1. c 2. a 3. b 4. c 5. a
B. 1. Conoce, sabe 2. conoce, sabe 3. sabe, saber 4. conocer 5. sabe
C. 1. (Asunción) Trae una muestra de orina a la cita. 2. (La prueba que se hizo) Dice que está embarazada. Necesita estar completamente segura.
3. Tiene náuseas y frecuentemente está fatigada. 4. Asunción y el médico deben hablar del cuidado prenatal si ella está embarazada.

LECCIÓN 8
A. 1. b 2. a 3. c 4. b
B. 1. Asunción recuerda... 2. Asunción quiere... 3. Los Sres. Valdez se acuerdan... 4. Empiezan... 5. La Sra. Valdez vuelve...
C. 1. Asunción vuelve para saber el resultado de la prueba. 2. Pregunta cuándo va a nacer el niño. 3. La fecha del parto debe ser el 5 de febrero. Es el cumpleaños del esposo de Asunción. 4. Van a hacer la ecografía después de unas semanas. Hoy va a hacer un reconocimiento pélvico.

LECCIÓN 9
A. 1. b 2. a 3. c 4. b 5. a
B. 1. trimestre 2. fatigada 3. alimentación 4. consultorio 5. sala de espera 6. resultado 7. enfermedad 8. peso
C. 1. El doctor dice que es sano engordar cuando una está embarazada. 2. Asunción necesita una alimentación sana y equilibrada. 3. El peso excesivo puede complicar el embarazo. 4. Necesita suplementos de hierro y calcio. Debe limitar la grasa que come.

LECCIÓN 10
A. 1. c 2. d 3. b 4. e 5. a
B. 1. contenta 2. serios 3. fácil 4. gordita 5. comunes
C. 1. (Asunción) No tiene que dejar de fumar porque no fuma. 2. Muchos piensan que el ejercicio hace más fácil el parto. 3. Es mejor evitar todas las drogas si puede. 4. Hay una forma de diabetes que afecta a la mujer embarazada.

LECCIÓN 11
B. 1. resultado 2. prueba 3. positivo 4. embarazada 5. nacer 6. parto 7. menstruación 8. engordar 9. libras 10. trimestre 11. equilibrada 12. recetar 13. alimentación 14. cuidado 15. articulaciones 16. hormonas 17. precauciones 18. reconocimiento 19. ecografía 20. diabetes 21. síntomas 22. historial 23. formulario 24. sano 25. tener cuidado 26. embarazo

LECCIÓN 12
A. 1. c 2. a 3. f 4. i 5. b 6. j 7. e 8. h
B. 1. La comentó 2. Las escuchó 3. La describieron 4. Lo recetaron 5. La comentó 6. La recomendó
C. 1. Muchas enfermedades del corazón y del hígado se asocian con la obesidad. También la alta tensión arterial. 2. El número de calorías (que necesita una persona todos los días) depende de la edad y de la actividad física. 3. Es necesario saber el tamaño del esqueleto y la condición física de la persona. 4. Según la profesora, la mejor dieta es una dieta variada con carbohidratos complejos, proteína y poca grasa.

LECCIÓN 13
A. 1. h 2. d 3. a 4. c 5. e 6. g 7. j 8. b
B. 1. Te encontré 2. La comí 3. Lo consumiste 4. la recomendaste 5. Lo descubrí 6. me viste 7. Te recordé
C. 1. (Elena) Estudió unos artículos acerca de los problemas que resultan del colesterol excesivo. 2. (La aterosclerosis) Viene de la acumulación de depósitos grasientos en las arterias. Conduce a la angina de pecho, a un ataque cardíaco o a un ataque cerebral. 3. Se pueden evitar (las enfermedades de las arterias) con una dieta correcta. 4. Se debe tomar la precaución de no consumir cantidades excesivas de colesterol o de aceite hidrogenado.

LECCIÓN 14
A. 1. En la clase de nutrición aprendieron los elementos de una dieta saludable. 2. También hablaron de unas enfermedades asociadas con la obesidad y el colesterol. 3. Las proteínas de la carne son fáciles de digerir. 4. La dieta típica en los Estados Unidos tiene una cantidad excesiva de grasa saturada. 5. La relación de la carne y el cáncer se ve en las investigaciones epidemiológicas. 6. Los médicos siempre recomiendan una dieta equilibrada.
B. 1. Lo recomendamos 2. La describimos 3. Los vimos 4. Las utilizamos 5. La consumimos 6. Lo estudiamos 7. Los comimos
C. 1. (La profesora) Habló de la alta presión, los ataques cardíacos y cerebrales y la angina de pecho. 2. La carne provee proteínas, vitaminas y minerales muy importantes. 3. Las proteínas de la carne son más fáciles de digerir que las de otros alimentos. 4. (En los estudios epidemiológicos) Se ve una mayor posibilidad de cáncer del colon, del estómago, del esófago y del páncreas.

LECCIÓN 15
A. 1. d 2. e 3. a 4. f 5. b 6. c
B. 1. Le mandé el remedio. 2. Le trajimos la insulina. 3. Le pregunté cuál era más saludable. 4. Le dimos las vitaminas. 5. Les dijimos el valor de la fruta. 6. Le molestaron las caries dentales.
C. 1. (La fruta es buena para las personas que sufren de diabetes) Porque no requiere insulina para procesar la fructosa. 2. Las bananas son buenas para las úlceras de estómago y las cerezas ayudan a evitar las caries dentales. 3. La fruta tiene vitaminas, minerales y fibra. 4. (Se cree que) Las manzanas, las toronjas y las naranjas pueden reducir el colesterol.

LECCIÓN 16
A. 1. b 2. a 3. a 4. a 5. b 6. b
B. 1. Sí, la hice ayer. 2. Sí, fue por la mañana. 3. La fibra vino del cereal. 4. Yo las puse aquí. 5. No. No quiso comerlas. 6. Lo supe la semana pasada.
C. 1. (Las legumbres) Aportan vitaminas, minerales y fibra a la dieta. 2. La fibra se encuentra en los cereales enteros y los alimentos hechos con cereales. 3. Los carbohidratos complejos también se llaman almidones. 4. Los frijoles, las papas y los cereales tienen almidón.

LECCIÓN 17
A. 1. d 2. b 3. g 4. i 5. a 6. f 7. j 8. h 9. c
B. 1. lo comencé 2. lo empezó 3. se divirtió 4. la consiguió 5. lo pedí 6. lo prefirió 7. lo pagué
C. 1. No, también es importante la actividad física. 2. Son buenos los deportes, montar en bicicleta, caminar, el jogging y el baile aeróbico. 3. Para conseguir el beneficio aeróbico es necesario elevar la frecuencia del pulso. 4. El ejercicio ayuda a utilizar las calorías más rápidamente y a adelgazar.

LECCIÓN 18
B. 1. k 2. a 3. j 4. b 5. h 6. c 7. g 8. d 9. i 10. e 11. n 12. f 13. l 14. o 15. m
C. 1. conducir 2. cardíaco 3. vitaminas 4. consumir 5. saludables 6. reducir 7. calorías 8. régimen 9. dieta 10. arterias 11. saturada 12. hidrogenada 13. colesterol 14. depósitos

LECCIÓN 19
A. 1. b, c 2. b, e 3. a, c 4. a, b, d, e 5. a, b, c, d
B. 1. estaba, le dolía, sentía, sufría 2. buscaban, estaban, tenían, sabían
C. 1. Don Jesús estaba mareado y sentía un dolor en el hombro. 2. Celia le preguntó a un hombre dónde había una sala de urgencias. 3. (Celia y don Jesús) Fueron a la sala de urgencias. Siguieron a la bocacalle, doblaron a la derecha y la encontraron a dos cuadras. 4. El enfermero llevó a don Jesús en una camilla y le preguntó a Celia si don Jesús tomaba alguna medicina.

LECCIÓN 20
A. 1. a, b, c, d, e 2. a, c, d 3. d, e 4. b, c, d 5. none
B. 1. quería, necesitaba, sabía, creía 2. estabas, ibas, podías, vivías
C. 1. Celia habló con la recepcionista para internar a su suegro. 2. Le dijo que tenía un hijo, un cuñado y un hermanastro. 3. Quería saber si tiene alergia a alguna medicina para no darle esa medicina. 4. Don Jesús sufría de una perturbación mental (y no estaban seguros de la información que les dio).

LECCIÓN 21
A. 1. Celia va a esperar en la sala a los otros parientes. 2. La hermana de la señorita tiene una insolación. Está quemada y tiene la piel seca. 3. La hermana no tomó muchos líquidos porque se preocupa mucho por su peso. 4. (La recepcionista) Va a mandar al enfermero para traer a la hermana enferma. 5. El remedio más importante es refrescarla (y examinar las quemaduras del sol).
B. 1. tomábamos, queríamos, esperábamos, sabíamos 2. debía, tenía, necesitaba, podía
C. 1. (Celia) Quiere saber los resultados del reconocimiento (que le van a hacer a don Jesús). 2. La hermana tiene una insolación y quemaduras de sol. 3. Comenzó a delirar. Tiene la piel caliente y seca y la respiración es muy débil. 4. Le dice que debe tener más cuidado, tomar muchos líquidos y usar una crema antisolar.

LECCIÓN 22

A. 1. M 2. M 3. N 4. O 5. M 6. M

B. 1. íbamos 2. Era 3. veía 4. corrían 5. era 6. sabían 7. estaba

C. 1. (El niño) Corría por el patio, chocó con la parrilla y la parrilla le cayó encima. 2. Sufrió quemaduras de segundo grado en un tercio del cuerpo. 3. Van a administrarle antibióticos (y otras medicinas) por vía intravenosa. 4. (Tiene las quemaduras más serias) En la frente y en la oreja. Pueden quedarle cicatrices.

LECCIÓN 23

A. 1. C 2. M 3. M 4. R 5. M 6. N

B. 1. Entró, estaba 2. pregunté, tenía 3. Se desmayó, estaba 4. Se envenenó, había 5. dije, era

C. 1. Le están haciendo un reconocimiento y están procesando la prueba de sangre. 2. (La madre cree que) La niña se envenenó. 3. (La niña) Ingirió unas hojas de una planta del jardín. 4. Le parecía más rápido traerla a la sala de urgencias.

LECCIÓN 24

A. 1. C 2. N 3. M 4. M 5. M 6. M

B. 1. trajo 2. supe 3. hubo 4. queríamos 5. pudimos 6. conocí 7. quería

C. 1. Le dice el médico que está descansando y que está fuera de peligro. 2. Hubo un accidente en un edificio en construcción. Tienen diez heridos en la clínica. 3. (La recepcionista) Tiene que llamar a más médicos para ayudar con la emergencia. 4. (Tienen que llamar al neurólogo) Porque dos o tres obreros recibieron golpes en el cráneo.

LECCIÓN 25

B. 1. respirar 2. veneno 3. ingerir 4. envenenar 5. romperse 6. mortífera 7. débil 8. deshidratación 9. peligro 10. socorro 11. camilla 12. mareado 13. desmayarse 14. doler 15. caída 16. perturbación 17. rígida 18. quemaduras 19. insolación 20. cicatrices 21. vomitar 22. tercio 23. radiólogo 24. atender 25. ortopedista

LECCIÓN 26

A. 1. dolía, brazo 2. se quejaba, cabeza 3. recibió, pierna 4. sufrió, corazón 5. se enfermó, estómago 6. recetó, ojos 7. estaba, oído 8. tenía, cerebro 9. se sentía, garganta 10. corría, se rompió, muñeca

B. a. 3 b. 5 c. 2 d. 4 e. 6 f. 1

C. 1. se quejó 2. mareado 3. sala de urgencias 4. camilla 5. internar 6. insolación 7. quemaduras 8. se quemó 9. tóxicas 10. heridas 11. ataque cardíaco 12. fuera de peligro

LECCIÓN 27

A. 1. Falso. Aumentó dos libras en el primer mes. 2. Cierto. 3. Falso. Es bueno mecer a la niña si tiene cólico. 4. Cierto. 5. Falso. Camila y Elena aprenderán juntas lo que es normal.

B. 1. A los seis meses Elena dormirá toda la noche. 2. A los cuatro meses dejará de comer tan frecuentemente. 3. Aumentará de peso todos los años hasta la adolescencia. 4. A los dos meses la traerá Ud. aquí. 5. A los cinco meses bajará el número de evacuaciones. 6. Con la práctica Camila aprenderá lo que es normal.

C. 1. i 2. b 3. h 4. a 5. f 6. c 7. e 8. g 9. d 1. alivio 2. estornudos 3. preocupación 4. aumento 5. chupar 6. mecedora 7. eructo 8. mojar 9. lechoso

D. *Possible answers*: 1. Durante el primer mes el niño aumentará dos libras de peso. 2. Después de unos meses dormirá toda la noche. 3. Cuando tiene cólico, es bueno mecer al niño. 4. Debe traerlo a la clínica si tiene 100.5° de temperatura.

E. 1. ¿Cuál es su nombre completo?: Jorge López Barrido 2. ¿Cuál es su dirección? (¿Dónde vive Ud.?): Calle Washington, 350 3. ¿En qué ciudad y estado vive? ¿Y su área postal?: Santa María, California, 91433 4. ¿Cuál es el número de teléfono en casa? ¿Y en el trabajo? 789-4354; 345-7889 5. ¿Dónde trabaja Ud.?: Compañía Central, calle 2, Santa María 6. ¿Cuándo y dónde nació Ud.?: 1958; México 7. ¿Cuál es su número de Seguro Social?: 111-23-4567

LECCIÓN 28

A. 1. Cierto. 2. Cierto. 3. Cierto. 4. Falso. Si persiste la ictericia, la madre debe consultar al médico. 5. Falso. Elenita aumentará de peso durante los próximos meses.

B. 1. Sí. Todos (los niños) tendrán diarrea alguna vez. 2. Sí. Querrás llamar al médico alguna vez. 3. Sí. Habrá regurgitaciones sin enfermedad seria. 4. Sí. Le pondrás pañales secos frecuentemente. 5. No. No vendrás a la clínica con mucha frecuencia.

C. 1. f 2. e 3. a 4. g 5. c 6. b 7. d 8. aguadija, esforzándose 9. crecer, remisión, persistente 10. recién casados, razonables

D. *Possible answers*: 1. Los recién nacidos a veces tienen ictericia a las dos semanas de nacer. 2. Elenita se acostumbrará a la personalidad de su madre. 3. La Dra. Peña querrá ver a la niña si no aumenta de peso. 4. Camila debe llamar a la clínica si persiste la diarrea.

E. 8. ¿Cuál es su estado civil?: casado 9. ¿Cómo se llama su esposa?: María Dolores 10. ¿Tiene hijos? ¿Cómo se llaman y qué edad tienen?: Elena, 13 años; María, 8 años; Juanito, 4 años; Pedro, 11 meses 11. ¿Qué seguro médico tiene? ¿Cuál es el número de la póliza?: Blue Cross, 23-56-39-90-41-87 12. ¿Y cuál es el nombre del paciente?: Pedrito 13. ¿Cuándo y dónde nació Pedrito?: 2 de mayo de 1992; Santa María

LECCIÓN 29

A. You should have indicated statements 1, 2, 3, and 4.

B. 1. ...vuelva a los dos meses. 2. ...Camila piense en las inmunizaciones. 3. ...los padres vacunen a sus niños. 4. ...Elenita se exponga a la rubéola. 5. ...la niña no contraiga la enfermedad.

C. la poliomielitis, la parotiditis 1. la apendicitis 2. la colitis 3. la dermatitis 4. la hepatitis 5. la laringitis 6. la neuritis a. 2 b. 6 c. 5 d. 4 e. 3 f. 1

D. 1. ...se da a los 2, 4, 6 y 18 meses. Es una vacuna contra la difteria, el tétanos y la tos ferina. 2. ...se da por vía oral a los 2, 4 y 18 meses. También se da una dosis de refuerzo cuando el niño llega a la edad escolar. 3. ...la vacuna combinada MMR contra el sarampión, las paperas y la rubéola a los 15 meses y la vacuna contra la influenza a los dos años.

E. 14. ¿Qué inmunizaciones ya tuvo y a qué edad?: (DTP) 2 meses, 4 meses, 6 meses; (polio) 2 meses, 4 meses 15. ¿Tuvo alguna de estas enfermedades: difteria, tétanos, tos ferina, sarampión, paperas, rubéola?: no

LECCIÓN 30

A. 1. a 2. b 3. a 4. a, b 5. b

B. 1. ...seas una madre nerviosa. 2. ...sepas cuando su niño está enfermo. 3. ...le des fluidos cuando tiene diarrea. 4. ...estés preocupada todo el tiempo.

C. 1. small intestine 2. large intestine 3. duodenum 4. ileum 5. cecum 6. ascending colon 7. transverse, descending (colon) 8. appendix 9. rectum 10. internal organs

D. *Possible answers:* 1. La(s) madre(s) no siempre sabe(n) qué tiene el niño. 2. La Dra. Peña examina al niño para prevenir enfermedades serias. 3. El bebé no sabe decirle cuando está enfermo. 4. Los médicos quieren que la madre llame a la clínica. 5. Es importante llamar al médico si reconoce la diarrea.

E. 16. ¿Cuál fue la fecha de la última visita de Pedrito al médico?: noviembre 17. ¿Está tomando alguna medicina actualmente?: no 18. ¿Cuál es su problema actual?: infección en el oído 19. ¿Qué síntomas observó Ud.?: (diarrea) sí; (sangre, mucosidad) no; (vómitos) no; (temperatura) 102°

LECCIÓN 31

A. 1. a 2. b 3. b 4. a 5. b

B. 1. ...sepan que el niño está enfermo. 2. ...deje de aumentar de peso. 3. ...sufra de desnutrición por seis meses. 4. ...sufra de deshidratación. 5. ...el niño tenga sus propios hijos.

C. 1. brain 2. cerebellum 3. medulla oblongata (brain stem) 4. spinal cord 5. carotid artery 6. jugular vein 7. temporal vein 8. frontal artery 9. pulmonary artery 10. abdominal aorta

D. *Possible answers:* 1. La falta de cuidado materno afecta el peso del bebé. 2. Una infección en el oído requiere consulta médica. 3. La pérdida de peso puede ser a causa de problemas del hígado, de los riñones o del corazón. 4. La desnutrición puede producir comportamiento antisocial. 5. Algunas enfermedades afectan la capacidad de absorción del intestino.

E. 20. ¿Tuvo los mismos síntomas antes? ¿Cuándo?: diarrea; hace dos meses 21. ¿Cuándo comenzaron los síntomas?: ayer por la tarde 22. ¿Cuál es su peso actual? ¿Y su peso al nacer?: 23 libras; 7,5 libras 23. ¿Cuántas veces come al día normalmente?: 4 veces 24. ¿Cómo es su apetito ahora?: no tiene hambre 25. ¿Tiene otros síntomas?: un poco de tos; llora mucho

LECCIÓN 32

A. You should have indicated statements 1, 2, 3, and 6.

B. 1. Compre, alivien 2. utilicen, hagan 3. Busque, cure

C. 1. lung 2. trachea 3. bronchus 4. frontal sinus 5. nasal cavity 6. epiglottis 7. thorax 8. larynx 9. pharynx

D. *Possible answers:* 1. Sabes que es un resfriado en cuanto el niño tenga dolor de garganta. 2. No hay remedio que cure el resfriado común. 3. También es posible que sufra diarrea y falta de apetito. 4. Hay unas gotas que alivian la nariz que gotea. 5. No recomiendan gotas que hagan encogerse la membrana mucosa.

E. 26. ¿Tiene Pedrito resfriados frecuentes?: no; a veces 27. ¿Sufre de alguna enfermedad del sistema respiratorio?: rinitis, no; asma, no 28. ¿Tiene alguna alergia?: (polen, moho, polvo, comestibles, insectos, medicinas) no; (animales) posible; a veces estornuda cuando el gato está cerca 29. ¿Tienen alergias sus padres?: madre—alergia a los gatos

LECCIÓN 33

A. You should have indicated statements 1, 2, 3, 4, and 6.

B. 1. creas, sea 2. Lávate, contraigas 3. Ten, transmitas

C. 1. dermatólogo 2. cirujano 3. gastroenterólogo 4. obstetricia 5. cirugía neurológica

D. *Possible answers:* 1. Los niños son buenos portadores de microbios. 2. La doctora duda que transmita la hepatitis si no hay contacto con la materia fecal. 3. Es muy importante que los padres no lleven a los niños enfermos a la escuela. 4. Es mejor que los padres laven el baño y la cocina con desinfectante.

E. 30. ¿Recibe o recibió tratamiento para alergia?: no 31. ¿Sufrió alguna vez la anafilaxis?: no 32. ¿Sufrió otra infección últimamente?: no 33. ¿Sufrió últimamente una infección estreptocócica?: sí; infección de oído, hace tres meses, antibióticos

LECCIÓN 34

A. 1. Cierto. 2. Cierto. 3. Falso. A esta edad niños y niñas tienen los mismos sentimientos. 4. Cierto. 5. Falso. El niño de dos años no entiende el concepto de compartir.

B. 1. ha portado 2. ha compartido 3. he vuelto 4. has contado 5. he recibido

C. 1. psychologist 2. psychiatrist 3. neurosis 4. psychosis 5. depression 6. anxiety 7. panic 8. nervous crisis, breakdown 9. psychotherapy 10. depressed

D. *Possible answers:* 1. El hermano mayor siempre siente resentimiento hacia el nuevo miembro de la familia. 2. Es importante que los padres entiendan el punto de vista del niño. 3. La doctora no cree que se puedan resolver todos los problemas de los niños. 4. El hermano mayor no siempre se porta otra vez como un niño.

E. 34. ¿Los otros niños asisten a la escuela?: Elena y María, escuela; Juanito, guardería 35. ¿Alguno de los niños ha tenido problemas emocionales? ¿Ha consultado a un psicólogo?: María, problemas en hacer amigos; no 36. ¿Se porta mal con los compañeros?: no 37. ¿Alguno de los niños ha manifestado sentimientos negativos?: no mucho; (riñas) pocos; (resentimiento) no; (temores) no; (comparten) a veces; (otros problemas) no

LECCIÓN 35

A. 1. Falso. En la escuela los compañeros tienen mucha influencia en su comportamiento. 2. Cierto. 3. Falso. Los padres tienen que estimular el amor propio y el sentido de responsabilidad moral. 4. Cierto. 5. Cierto.

B. 1. haya resuelto 2. hayan hecho 3. hayan podido 4. haya contraído

C. 1. sexual abuse 2. rebellion 3. to take a risk, risk oneself 4. suicide 5. bulimia 6. anorexia 7. in a bad mood 8. nervous breakdown 9. drug addiction 10. alcoholism

D. *Possible answers:* 1. La doctora no cree que sea posible evitar la rivalidad entre los hermanos. 2. La madre quiere saber reconocer cuando los conflictos hayan llegado a un punto imposible. 3. Es posible que los conflictos tengan su causa en otro aspecto de la vida. 4. Los padres tienen la obligación de aumentar el amor propio de los niños.

E. 38. En el caso de Elena ¿ha observado alguna dificultad psicosocial?: No, tiene muchos amigos 39. ¿Ha tenido problemas en su desarrollo social?: no 40. ¿A Elena le examinaron en la escuela?: sí; ningún problema; (todas categorías) no

LECCIÓN 36

A. 1. Carlos Eduardo García; 3 años; diarrea; comenzó hace 2 días, persiste; es verdosa; tiene fiebre; no se siente bien 2. Elena Villalba; 6 meses; vacuna DTP; está bien, necesita la tercera dosis de la DPT 3. José Santos Orozco; 13 años; jaquecas; dolores fuertes por una semana; tiene miedo de ir a la escuela; madre quiere saber si la causa es física o psicológica 4. Carolina Rivera; 4 años, resfriado o influenza; comenzó hace 2 días; gotea la nariz, tos, dolor en el oído; no fue a la guardería 5. Julián Pastor Medina; 1 año; no quiere comer; hace 1 mes, falta de apetito; antes comía bien; no parece enfermo pero la madre quiere que lo examine

B. 1. b 2. e 3. p 4. o 5. h 6. l 7. g 8. d 9. m 10. f, j, n 11. a 12. i 13. k, c

C. 1. gotas 2. mojada 3. pesa 4. señales 5. fatigada 6. infectado 7. niñez 8. contagiosas

LECCIÓN 37

A. 1. ...en el cuello. 2. ...le duele más. 3. ...hacer una biopsia. 4. ...factores genéticos. 5. ...el diagnóstico

B. 1. se quitara, se sentara 2. fuera 3. hiciera 4. tuviera, tomara

C. 1. dedo del pie 2. talón 3. espinilla 4. rodilla 5. muslo 6. cadera

E. Lucanor Conde; salpullido en el hombro; Sr. Conde, ¿Cuánto tiempo ha tenido el salpullido?: ± 15 días, pero sólo ha estado muy irritante por 2 días, rasca constantemente

LECCIÓN 38

A. 1. ...reservar el quirófano. 2. ...evaluación prequirúrgica. 3. ...anestesia general. 4. ...sala de recuperación 5. ...la sala de cuidados intensivos.

B. 1. aceptara, operara 2. dijera 3. comiera 4. diera(n), hubiera

C. 1. dedos, uñas, nudillos, pulgar, dedo índice, palma 2. muñeca, codo, hombro 3. mano, brazo

E. Jacinto Benavente Caballero; médico recomienda operación de la muñeca; Y, ¿exactamente qué quiere Ud. consultar?: quiere otra opinión para ver si hay otro recurso; tiene sus rayos X

LECCIÓN 39

A. You should have indicated statements 1, 2, 4, and 6.

B. 1. pudiera 2. hubiera, fuera 3. supiera 4. comenzara

C. 1. g 2. c 3. a 4. b 5. e

E. Benito Pérez Galdós; posibles efectos secundarios de su medicina; ¿Qué medicina es, Sr. Pérez?: para infección del oído, dolores del abdomen que comenzaron con la medicina

LECCIÓN 40

A. 1. la cirrosis del hígado 2. una muerte repentina 3. la desintoxicación 4. programa de recuperación 5. enfrentarse con la enfermedad

B. 1. tendría, negaría 2. sería, podría 3. sufriría

C. 1. g 2. c 3. f 4. j 5. e 6. i

E. Rosario del Castillo; alcohólica, necesita ayuda; ¿Está Ud. tomando todavía, señora?: Sí, quiere entrar en un programa de recuperación; no puede controlar la adicción sola

LECCIÓN 41

A. 1. una receta médica 2. sea una dependencia 3. paranoia con alucinaciones 4. derivadas del opio 5. experimenta depresión

B. 1. daría, dejaría 2. admitiría, sería, mostraría

C. 1. d 2. j 3. b 4. e 5. g

E. Héctor Rosales Benítez; necesita ver al consejero sobre el hijo; ¿Qué problema tiene (Ud. con) su hijo?: Cree que usa drogas, ha cambiado mucho; quiere más información

LECCIÓN 42

A. 1. Falso. Tiene una caries y necesita un empaste. 2. Cierto. 3. Cierto. 4. Falso. Carlitos no quiere tener gingivitis y abscesos. 5. Cierto.

B. 1. sentiría, recibiera 2. limpiara, pusiera, perdería

C. 1. e 2. d 3. h 4. f 5. i 6. a

E. Pablo Portillo Corrales; dolor de diente; ¿Cuánto tiempo ha tenido el dolor?: desde viernes pasado (3 días); probablemente se ha salido el empaste

LECCIÓN 43

A. 1. Cierto. 2. Falso. En el botiquín debe haber tijeras y pinzas. 3. Cierto. 4. Cierto. 5. Falso. Las picaduras pueden ser graves si la persona tiene alergia.

B. 1. había sufrido, había llevado 2. habían preguntado 3. habíamos detenido, había suturado

C. 1. ceja 2. la pestaña 3. globo ocular 4. iris 5. córnea 6. oreja 7. tímpano 8. oído interno 9. trompa de Eustaquio

E. Ana María Laforet; herida en el dedo; tal vez debe ponerse unos puntos ¿Cuándo pasó el accidente, Sra. Laforet?: hace 1 hora, esposa le puso una venda pero es muy profunda; quiere que la vea el doctor

LECCIÓN 44

A. 1. Cierto. 2. Falso. La falta de oxígeno puede producir daños cerebrales. 3. Cierto. 4. Cierto. 5. Falso. Es fácil aprender la resucitación cardio-pulmonar.

B. 1. había hecho, se había atragantado, había muerto 2. había puesto, había lavado

C. 1. conducto espermático, la trompa de Falopio 2. testículos 3. ovarios 4. útero 5. pene

E. Juana Mistral de Aguilar; quiere ver al médico de cabecera; ¿Qué problema tiene Ud. para consultar?: 3 picaduras de abeja, puso agua oxigenada y ungüento con hidrocortesona, sigue doliendo

LECCIÓN 45

A. You should have indicated statements 1, 3, and 4.
B. 1. hubiera contraído, hubiera contagiado   2. hubieran puesto, hubiera dado   3. hubiera sufrido
C. 1. Nueva York, 25 de diciembre de 199_   2. San Francisco, 4 de julio de 199_
   Dra. Carlota García   Dr. Ramón Benítez
   Servicios Médicos Hispánicos   Clínica Palenque
   Camino Castaño, 234   Calle Martínez, 367
   Miami FL 33152   Mérida, México
E. Ramona López Mejía; posible parásito intestinal;   ¿Tiene Ud. algún síntoma de eso?: no está segura, sobrino tiene ascárides; ella tiene dolores del estómago, necesita una prueba

LECCIÓN 46

A. You should have indicated statements 1, 4, 5, and 6.
B. 1. hubiera contraído, habría recetado, habría dicho   2. hubieran tenido, habría causado
C. Sacramento, 3 de junio de 199_
   Sra. doña Beatriz González
   Corona Company
   901 W. 38th Street
   New York, NY 10001
   Distinguida Señora:
   Acuso recibo de su atenta carta y del formulario para el seguro. Lo he llenado y se lo devuelvo con la presente.
E. Paco Domingo; enfermedad venérea;   ¿Qué síntomas tiene, Sr. Domingo?: dificultades para orinar, quemazón, secreciones de la uretra; síntomas aparecieron 5 días después de tener relaciones sexuales sin protección

LECCIÓN 47

A. You should have indicated statements 1, 3, 4, and 5.
B. 1. sea   2. tuviera, olvidara   3. fuera
E. Gonzalo Vélez Contreras; pueba para el SIDA;   ¿Es sólo una precaución o cree Ud. que puede ser infectado con el virus?: relaciones sexuales con varias personas; no ha tomado el SIDA en serio; un amigo positivo; quiere saber si está infectado

LECCIÓN 48

A. 1. sala de espera   2. pacientes   3. enfermedades   4. síntomas   5. reconocimientos   6. diagnosticar   7. recetas   8. fiebre   9. resfriado   10. ginecólogos   11. embarazadas   12. precauciones   13. parto   14. ecografías   15. feto   16. pruebas   17. grupo sanguíneo   18. diabetes   19. alimentación   20. salud   21. se engorda   22. aumentar   23. adelgazarse   24. hierro   25. sano
E. Graciela López de Vidal; necesita ver una ginecóloga;   ¿Qué asunto quiere consultar con la doctora?: quiere una prueba de embarazo; última menstruación—6 semanas; la prueba de casa salió positiva; si está embarazada quiere consejos sobre cuidado prenatal

LECCIÓN 49

A. 1. dieta   2. estudios   3. grasas   4. colesterol   5. calorías   6. grasientos   7. arterias   8. angina   9. cardíacos   10. cerebrales   11. alimento   12. aparato digestivo   13. riesgo   14. diverticulosis   15. estreñimiento   16. carbohidratos   17. almidón   18. aeróbico   19. bienestar   20. presión arterial   21. metabolismo   22. pulso   23. régimen   24. obesidad
E. Carlos Benítez; 100 kilos; 80 kilos;   Sr. Benítez, ¿cómo es su dieta típica ahora? ¿Qué cosas come, por lo general?: hamburguesas sin pan, chocolates en el trabajo; cena: bistec y papas fritas; desayuno: huevos, tocino, pan con mantequilla

LECCIÓN 50

A. 1. camilla   2. daño   3. caída   4. hueso   5. pierna   6. brazo   7. destrozada   8. radiólogo   9. ortopedia   10. tóxico   11. envenena   12. vomitar   13. veneno   14. sustancias   15. insolación   16. piel   17. deshidratación   18. grado   19. inhala   20. traqueotomía   21. de turno   22. de urgencia   23. internar
E. Beto Vallejos Campos; calle Río Grande, 256;   ¿Qué problema tiene su hijo?: posible insolación; desmayó jugando en el parque; hacía mucho calor y no tomaba agua; se sintió mareado, deliraba; está en observación

LECCIÓN 51

A. 1. recién nacidos   2. adolescentes   3. se preocupan   4. ictericia   5. diarrea   6. estornudar   7. pediatra   8. desarrollo   9. aumento de peso   10. endocrina   11. desnutrición   12. abandono   13. inmunización   14. vacuna   15. difteria   16. tos ferina   17. tétanos   18. rubéola   19. poliomielitis   20. severas   21. guardería   22. expongan   23. contraigan   24. niñez   25. rutinaria
E. Carla Maldonado de Luján; Heriberto Luján Maldonado; 1 semana; 27 de enero;   ¿Tiene algún problema el niño?: no, sólo desea el reconocimiento rutinario de recién nacido; parece estar bien

Spanish-English Vocabulary

The Spanish-English Vocabulary to this Professional Supplement contains words and expressions listed in the **Vocabulario útil** lists for each chapter, as well as those defined in the direction lines and readings of **Lectura y diálogo**, in the **Aumenta tu vocabulario** activities, and in activities involving word "families." Numbers in parentheses indicate the chapter of this supplement in which the word or expression first appears.

The following are not included: (1) conjugated verb forms that are not part of a fixed expression, (2) glossed vocabulary that does not appear in the sections mentioned above, and (3) definitions other than those used in this Professional Supplement.

The gender of nouns is indicated, except for masculine nouns ending in -o and feminine nouns ending in -a. Stem changes and spelling changes are indicated for verbs, e.g., **dormir (ue, u)**, **llegar (gu)**, **seguir (i, i) (g)**.

Words beginning with **ch** and **ll** are found under separate headings, following the letters **c** and **l** respectively. Similarly, **ch**, **ll**, and **ñ** within words follow **c**, **l**, and **n**, respectively.

The following abbreviations are used:

adj.	adjective		*n.*	noun
adv.	adverb		*pl.*	plural
conj.	conjunction		*p.p.*	past participle
f.	feminine		*prep.*	preposition
interj.	interjection		*pron.*	pronoun
irreg.	irregular		*s.*	singular
m.	masculine		*v.*	verb

A

abandono abandonment (31)
abarcar (qu) to cover, encompass (27)
abdomen *m.* abdomen (39)
abdominal *adj.* abdominal; **aorta abdominal** abdominal aorta (31); **calambres** (*m. pl.*) **abdominales** abdominal cramps (45)
abeja bee (43)
abogado/a lawyer (6)
abrazo hug (44)
absceso abscess (42)
absorción *f.* absorption (31)
abstinencia abstinence (40)
abuso abuse; **abuso sexual** sexual abuse (35)
académico/a *adj.* academic, school; **promedio académico** grade average (18)
aceite *m.* oil (13)
aceptar to accept (34)
acetaminofena acetaminophen (44)
acné *m.* acne (37)
aconsejable *adj.* advisable
actual *adj.* current, present (6)
actualmente *adv.* currently, presently (20)
acuerdo agreement; **estar de acuerdo** to be in agreement, agree (6)
acumular to accumulate (42)
acusar to acknowledge; **acuso recibo...** I acknowledge receipt . . . (46)
adelantar to advance, promote (35)
adelgazar (c) to lose weight (9)

además (de) *adv, prep.* besides, in addition (to) (6)
adentro *prep.* inside (21)
adicción *f.* addiction (32)
adicto/a *adj.* addicted (41)
administrar to administer (22)
adolescencia adolescence (35)
adolescente *m., f.* adolescent, teenager (51)
adquirido/a *adj.* acquired; **síndrome** (*m.*) **de inmunodeficiencia adquirida (SIDA)** acquired immune deficiency syndrome (AIDS) (47)
aeróbico/a *adj.* aerobic (17)
afectar to affect (31)
afilado/a *adj.* sharp (43)
aflojar to loosen (44)
agitarse to get upset (25)
agua *f.* (*but* el agua) water; **agua oxigenada** hydrogen peroxide (44)
aguadija water (*in wounds, blisters*) (28)
aguado/a *adj.* watery (28)
aguja needle; **aguja hipodérmica** hypodermic needle (42)
agujero hole (42)
alabar to praise (34)
alcance *m.* reach, arm's length; **al alcance** within reach, accessible (23)
alcanzar (c) to reach (23)
alcoholismo alcoholism (35)
alemán *adj.* German; **sarampión** (*m.*) **alemán** German measles, rubella (29)
alergia allergy (4)

alérgico/a *adj.* allergic; **rinitis** (*f.*) **alérgica** allergic rhinitis (32)
algún, alguno/a *adj.* any; some (15)
alimentación *f.* food, nourishment (9)
alimento food (14)
aliviar to alleviate; to relieve (18)
alivio relief (27)
almidón *m.* starch (16)
alterar to alter, change (41)
alto/a *adj.* high (12)
altura height (24)
alucinación *f.* hallucination (41)
alucinógeno hallucinogen (41)
allí *adv.* there (3)
amamantar to breast-feed, nurse (27)
ambiental *adj.* environmental (32)
amenaza threat (45)
amor *m.* love; **amor propio** self-esteem (35)
anafilaxis *f.* anaphylaxis (33)
analgésico/a *adj.* painkilling (41)
análisis *m.* analysis (8)
andamiaje *m.* scaffolding (24)
anemia anemia (45)
anestesia anesthetic; **anestesia general** general anesthetic (38)
anestesista *m., f.* anesthesiologist (33)
angina angina; **angina de pecho** angina pectoris (13)
animal *m.* animal (32)
animar to encourage (35)
ano anus (40)
anófeles *m.* anopheles (*mosquito*) (45)

Spanish-English Vocabulary

anorexia anorexia (35)
anquilostoma *m.* hookworm (45)
ansiedad *f.* anxiety (34)
antebrazo forearm (38)
antes *adv.* before, previously (6); **antes de** *prep.* before (9)
antiácido antacid (39)
antibiótico *n.* antibiotic (5)
antihipertensivo antihypertensive (39)
antihistamínico/a: **droga antihistamínica** antihistamine (4)
antimicrobial *m.* antimicrobial (39)
antiséptico/a *adj.* antiseptic (44)
antisolar: **crema antisolar** sunscreen (21)
aorta aorta; **aorta abdominal** abdominal aorta (31)
aparato device; system; **aparato digestivo** digestive system (14)
apellido last name, surname (27)
apéndice *m.* appendix (29)
apendicitis *f.* appendicitis (29)
apetito appetite (31)
aplicar (qu) to apply (37)
aportar to contribute, add (16)
aquí *adv.* here; **aquí es** here it is (3); **aquí tiene(s)** here you have (*something*) (3)
arriesgarse (gu) to take risks (35)
arteria artery (1); **arteria frontal** frontal artery (31); **arteria pulmonar** pulmonary artery (31)
arterial *adj.* arterial; **presión** (*f.*) **arterial** blood pressure (12)
articulación *f.* joint (10)
artículo article (13)
ascáride *f.* ascarid (45)
ascendente *adj.* ascending; **colon** (*m.*) **ascendente** ascending colon (30)
asfixiar to asphyxiate, suffocate (44)
asintomático/a *adj.* asymptomatic (46)
asma *f.* (*but* el asma) asthma (32)
asmático/a *adj.* asthmatic (27)
asociado/a *adj.* associated (14)
ataque *m.* attack; **ataque cardíaco** heart attack (1); **ataque cerebral** stroke (13); **ataque de nervios** panic attack (35)
atender (ie) to assist; to attend to (21)
atenta: **su atenta** your kind letter (46)
atentamente *adv.* sincerely (47)
aterosclerosis *f.* atherosclerosis (13)
atleta *m., f.* athlete (12)
atragantarse con to choke on (44)
auditivo/a *adj.* auditory; **conducto auditivo** auditory canal (43)
aumentar to gain (*weight*); to grow, increase in size (9)
aumento increase (27); **aumento de peso** weight gain (31)
aurícula auricle (40)
auxilio help, aid; **primeros auxilios** first aid (43)
axila armpit (38)
ayudar to help; **ayudarles** to help them (4)
azúcar *m.* sugar (15)

B
bacteria bacterium (30)
bacteriano/a *adj.* bacterial (46)

baile *m.* dance (17)
barbilla chin (41)
bazo spleen (40)
bebé *m., f.* baby (9)
beneficio benefit (15)
bicicleta bicycle; **montar en bicicleta** to ride a bicycle (17)
bien *adv.* well; good; **muy bien** very well (2); **o bien** or else (30)
bienestar *m.* well-being; welfare (17)
biliar *adj.* biliary; **vesícula biliar** gall bladder (40)
bilirrubina bilirubin (28)
bilis *f.* bile (28); **conducto común de la bilis** common bile duct (40)
biopsia biopsy (37)
blando/a *adj.* soft, tender; **paladar blando** soft palate (42)
boca mouth (23)
bolsa (*hot water*) bottle (27)
botiquín *m.* medicine chest (43)
brazo arm (19)
bronceado/a *adj.* tanned (21)
bronquio bronchus, bronchial tube (32)
brotar to break out (46)
bueno/a *adj.* good; **buenas noticias** good news (8)
bulimia bulimia (35)
buscar (qu) to look for, search (11)

C
cabecera head of bed; bedside; **médico/a de cabecera** family doctor (6)
cabeza head (3)
cada *adj. inv.* each (5); **cada vez más** more and more (32)
cadera hip (37)
caer (*irreg.*) to fall; **cayó** (he/she/it) fell (22)
café *m.* coffee (10)
caída *n.* fall (20)
caído/a *adj.* fallen; **mollera caída** fallen fontanelle (30)
calambre *m.* cramp, spasm; **calambres abdominales** abdominal cramps (45)
calcio calcium (9)
calcular to calculate (8)
calentura fever (3)
caliente *adj.* hot (21)
calmante *m.* tranquilizer (41)
caloría calorie (12)
calle *f.* street (3)
cambiar to change (28)
cambio change (10)
camilla stretcher (19)
caminar to go; to walk; to travel (6)
cáncer *m.* cancer (14)
cantidad *f.* quantity, amount (13)
capacidad *f.* ability (31)
cápsula capsule (39)
cara face (5)
carbohidrato carbohydrate; **carbohidrato complejo** complex carbohydrate (12)
cardíaco/a *adj.* cardiac; **ataque** (*m.*) **cardíaco** heart attack (1)
cardiólogo/a cardiologist (1)
cardiomiopatía cardiomyopathy (40)

cardiopulmonar *adj.* cardiopulmonary (44)
cardiovascular *adj.* cardiovascular; **cirugí cardiovascular** cardiovascular/cardiac surgery (33)
cariarse to decay (*tooth*) (42)
caries *f.* (*pl.* caries) cavity, tooth decay (15); **caries dentales** cavities (15)
carótida carotid artery (31)
carta card; letter (6)
casa house, home; **¿puede llamarlo a su casa?** can you call him at home? (2)
casado/a *adj.* married (28); **recién casado/a** newlywed (28)
casarse to get married (11)
casi *adv.* almost (31)
castigar (gu) to punish (34)
catarro cold (31)
causa cause; **a causa de** because of (31)
causar to cause (31)
cavidad *f.* cavity; **cavidad nasal** nasal cavity (32)
ceguera blindness (46)
ceja eyebrow (43)
celos *pl.* jealousy (34)
central *adj.* central; **sistema** (*m.*) **nervioso central** central nervous system (31)
cepillarse to brush (42)
cepillo brush; **cepillo para el pelo** hairbrush (33)
cerca de *prep.* near (2)
cercano/a *adj* close, near; **pariente/a más cercano/a** next of kin
cereal *m.* grain (16)
cerebelo cerebellum (31)
cerebral *adj.* cerebral; **ataque** (*m.*) **cerebral** stroke (13); **lesión** (*f.*) **cerebral** brain injury, damage (29)
cerebro brain (13)
cerrar (ie) to close (43)
cesárea Caesarean (*section*) (34)
cicatriz *f.* (*pl.* cicatrices) scar (22)
ciego caecum, cecum, blind gut (30)
cierre *m.* closing (*of a letter*) (47)
cintura waist (39)
circulación *f.* circulation (13)
circulatorio/a *adj.* circulatory; **sistema** (*m.*) **circulatorio** circulatory system (31)
cirrosis *f.* cirrhosis (40)
cirugía surgery (38); **cirugía cardiovascular** cardiovascular/cardiac surgery (33); **cirugía neurológica** neurosurgery (33); **cirugía plástica** plastic surgery (22); **cirugía torácica** thoracic surgery (33)
cirujano/a surgeon (33)
cita appointment (3)
ciudad *f.* city (27)
civil: **estado civil** marital status (28)
clamidia chlamydia (46)
clarificar (qu) to clarify (34)
clavícula collarbone (39)
clítoris *m.* clitoris (44)
coagulación *f.* clotting (39)
cocaína cocaine (41)
codeína codeine (41)
codo elbow (38)

colega *m., f.* colleague (46)

colesterol *m.* cholesterol (13)

cólico colic (27)

colitis *f.* colitis (29)

colmillo canine tooth (42)

colon *m.* colon (14); **colon ascendente** ascending colon (30)

columna column; **columna vertebral** spinal column (39)

combinado/a *adj.* combined; **vacuna combinada** combined vaccine (29)

comer to eat (9)

comestibles *m. pl.* food, foodstuff (32)

comezón *f.* itch (37)

compañía company, firm; **compañía de seguros** insurance company (28)

compartir to divide; to share (33)

complejo/a *adj.* complex; **carbohidrato complejo** complex carbohydrate (12)

completar to complete (7)

complicación *f.* complication; **complicación inesperada** unexpected complication (38)

complicar (qu) to complicate (9)

comportamiento behavior (31)

comprimido pill, tablet (5)

común *adj.* common (10)

con *prep.* with; **con cuidado** carefully (30); **con seguridad** with certainty (7); **con urgencia** urgently (19)

condón *m.* condom (47)

conducir (zc) (a) to lead (to) (12)

conducto duct; **conducto auditivo** auditory canal (43); **conducto biliar** common bile duct (40); **conducto deferente/espermático** vas deferens (44)

confianza confidence (35)

confirmar to confirm (20)

conflicto conflict (35)

congestión *f.* congestion (32)

congestionado/a *adj.* congested (27)

conocimientos *pl.* knowledge (35)

consciente *adj.* conscious (39)

consejero/a counsellor (40)

consejo (*piece of*) advice (31)

consistir en to consist of (44)

constipado/a *adj.* congested, stopped-up (*nose*)

consulta consultation (31)

consultar to consult, discuss (6)

consultorio medical office (2)

consumir to consume (13)

contagiar to infect, transmit (33)

contagio contagion (45)

contagioso/a *adj.* contagious (33)

contaminación (*f.*) pollution (32)

contener (*like* tener) to contain (13)

contestar to answer (11)

contra *prep.* against (37)

contraer (*like* traer) to contract, catch (*an illness*) (29)

contrario/a *adj.* contrary (32)

corazón *m.* heart (1); **válvula del corazón** heart valve (40)

córnea cornea (43)

corona crown (42)

coronilla crown of the head (41)

corporal *adj.* corporal, bodily; **fluido corporal** bodily fluid (47)

correr to run (26)

costado side (*of body*) (19)

costilla rib (39)

costra scab (46)

cráneo skull (24)

crecer (zc) to grow (28)

crecimiento growth (28); **dolores** (*m. pl.*) **del crecimiento** growing pains (35)

crema cream; **crema antisolar** sunscreen (21)

crisis *f.* (*pl.* crisis) crisis, depression; **crisis nerviosa** nervous breakdown (34)

crónico/a *adj.* chronic (16)

cualquier, cualquiera *adj.* any (17)

cuando *adv.* when (6)

cuello neck (37)

cuerpo body (17)

cuestión *f.* matter (14)

cuidado care, attention (7); **con cuidado** carefully (30); **sala de cuidados intensivos** intensive care unit (38); **tener cuidado** to be careful (10)

cumpleaños *m. s.* birthday (8)

curar(se) to cure; to be cured (10)

curita Band-Aid (43)

CH

chocar (qu) to collide (22)

chupar to suck (27)

chupete *m.* (*baby's*) pacifier (27)

D

daño harm, damage (21)

dar (*irreg.*) to give (6); **dar principio a** to give rise to (34); **le dio** (he/she) gave him (6)

datos *pl.* data, facts (19)

deber to have to, ought to; **¿deben esperar?** should they wait? (2)

débil *adj.* weak (21)

decir (*p.p.* dicho) (*irreg.*) to say; to tell; **querer decir** to mean (28)

dedo finger (38); **dedo del pie** toe (37); **dedo índice** index finger (38); **punta del dedo** fingertip (38)

deferente *adj.* deferent; **conducto deferente** vas deferens (44)

dejar de + *inf.* to quit (*doing something*) (10)

delgado/a *adj.* thin, slender; **intestino delgado** small intestine (30)

delirar to be delirious (21)

delirio delirium (41)

delírium (*m.*) tremens delirium tremens, DTs (40)

dentadura set of teeth, denture; **dentadura postiza** dentures, false teeth (42)

dental *adj.* dental; **caries** (*f. s., pl.*) **dental(es)** cavity, tooth decay, cavities (15); **seda/hilo dental** dental floss (42)

dentista *m., f.* dentist (1); **sillón** (*m.*) **del dentista** dentist's chair (42)

dependencia dependence (41)

deportes *m. pl.* sports (17)

depósito deposit (13)

depresión *f.* depression (34)

deprimido/a *adj.* depressed (34)

derecho right (5)

derivado/a *adj.* derived (41)

dermatitis *f.* dermatitis (29)

dermatólogo/a dermatologist (33)

desaparecer (zc) to disappear (35)

desarrollo development (35)

descendente *adj.* descending (30)

desde *prep.* since; from (5)

desear to want, desire (6)

deshidratación *f.* dehydration (21)

desintoxicación *f.* detoxification (40)

desmayarse to faint (19)

desmayo blackout, faint (40)

desnutrición *f.* malnutrition (31)

después *adv.* afterward (2)

destinatario/a addressee (45)

destrozado/a *adj.* smashed, shattered (24)

detener (*like* tener) to stop (43)

determinar to determine (9)

detrás de *prep.* behind (32)

devolver (ue) (*p.p.* devuelto) to return (*something*) (28)

diabetes *f.* diabetes (7)

diafragma *m.* diaphragm (40)

diagnosticar (qu) to diagnose (46)

diagnóstico diagnosis (4)

diario/a *adj.* daily (27)

diarrea diarrhea (28)

diente *m.* tooth (42)

dieta diet (12)

difteria diphtheria (29)

difundir to spread (33)

digerible *adj.* digestible; **no digerible** indigestible (16)

digerir (ie, i) to digest (14)

digestivo/a *adj.* digestive; **aparato digestivo** digestive system (14)

disculparse to excuse oneself; **discúlpeme** excuse me (21)

disnea dyspnea, labored breathing (45)

disponible *adj.* available (40)

distinguido/a *adj.* dear (*in letters*) (46)

diurético diuretic (39)

diverticulosis *f.* diverticulosis (16)

divorciado/a *adj.* divorced (28)

doble *adj.* double (28)

doler (ue) to hurt, ache (19)

dolor *m.* pain (3); **dolores** (*pl.*) **del crecimiento** growing pains (35)

doloroso/a *adj.* painful (42)

domicilio home address (27)

dosis *f.* dose; **dosis de refuerzo** booster dose/shot (29)

droga drug (10); **droga antihistamínica** antihistamine (4)

drogadicción *f.* drug addiction (35)

drogadicto/a drug addict (40)

duda doubt (30); **quedan dudas** doubts remain (13)

dulce *n.* sweets, candy (42); *adj.* sweet (15)

dulzura sweetness (18)

duodeno duodenum (30)

durante *prep.* during (9)
duro/a *adj.* hard; **paladar** (*m.*) **duro** hard palate (42)

E

eccema *m.* eczema (37)
ecografía ultrasound test (8)
eczema *m.* eczema (37)
edad *f.* age (12); **edad escolar** school age (29)
edificio building (24)
efecto effect; **efecto secundario** side effect (39)
ejercicio exercise (10)
elevar to raise (17)
embarazada *adj.* pregnant (7)
embarazo pregnancy (7)
emergencia emergency (2)
empaste *m.* (*dental*) filling (42)
empleo employment (27)
encía gum (*in mouth*) (42)
encima *adv.* on top of (22)
encogerse (j) to shrink, contract (32)
encorvamiento curvature; **encorvamiento espinal** spinal curvature (35)
endocrino/a *adj.* endocrine (31)
endocrinología endocrinology (33)
energía energy (16)
enfermarse to become ill (26)
enfermedad *f.* illness, sickness (4); **enfermedad de Vincent** Vincent's infection, trench mouth (42)
enfermero/a nurse (8)
enfermo/a *adj.* sick, ill (2)
enfrentarse con to confront, deal with (40)
engordar to gain weight (9)
entender (ie) to understand; to believe (34)
entero/a *adj.* whole (16)
entonces *adv.* then (4)
entumecer (zc) to numb, make numb (39)
envenenamiento poisoning (23)
envenenar(se) to poison (oneself) (23)
enviciamiento addiction (32)
epidemia epidemic (29)
epidemiológico/a *adj.* epidemiological (14)
epiglotis *f.* epiglottis (32)
epinefrina epinephrine (44)
equilibrado/a *adj.* balanced (9)
equilibrio equilibrium (43)
equivocado/a *adj.* mistaken (29)
eructar to burp (27)
eructo burp (27)
escolar *adj.* school; **edad** (*f.*) **escolar** school age (29)
escoliosis *f.* scoliosis (35)
escroto scrotum (44)
esforzarse (ue) (c) to make an effort, push oneself (28)
esfuerzo effort; **sin esfuerzo** without effort, effortlessly (28)
esmalte *m.* enamel (42)
esófago esophagus (14)

espalda back (19)
esparadrapo adhesive tape (43)
espera *n.* wait; **sala de espera** waiting room (3)
esperar to wait; **¿deben esperar?** should they wait? (2)
espermático/a *adj.* spermatic, seminal; **conducto espermático** vas deferens (44)
espinal *adj.* spinal (31); **encorvamiento espinal** spinal curvature (35); **médula espinal** spinal cord (31)
espinilla blackhead; shinbone (37)
esposo/a spouse; husband/wife (6)
esqueleto skeleton (12)
establecerse (zc) to become established (45)
estadístico/a *adj.* statistical (14)
estado state (27); **estado civil** marital status (28)
estar (*irreg.*) to be (6); **estar de acuerdo** to be in agreement, agree (6); **estar mal** to be ill (22)
esterilizado/a *adj.* sterile; sterilized (43)
esterilizar (c) to sterilize (44)
esternón *m.* sternum (39)
estimado/a *adj.* dear (*in letters*) (46)
estómago stomach (1)
estornudar to sneeze (27)
estornudo sneeze (27)
estreñimiento constipation (16)
estreptocócico/a *adj.* streptococcal (33)
estrés *m.* stress (17)
estudio study (16)
Eustaquio: **trompa de Eustaquio** Eustachian tube (43)
evacuación *f.* bowel movement (27)
evaluación *f.* evaluation; **evaluación prequirúrgica** presurgical evaluation (38)
evitar to avoid (10)
exacto/a *adj.* exact (8)
examinar to examine; **examinarlo** to examine him (2)
excremento excrement, feces (30)
exhibir to exhibit (31)
experimentar to experience (41)
exponer (*like* poner) to expose (29)
extenderse (ie) to spread; to extend (38)
externo/a *adj.* external (22); **paciente** (*m., f.*) **externo/a** outpatient (38)
extirpar to remove (*surgically*) (38)
extrañar to miss, long for (34)

F

factor *m.* factor; **factor genético** genetic factor (37)
Falopio: **trompa de Falopio** Fallopian tube (44)
falta lack (32)
faringe *f.* pharynx (32)
fatiga fatigue, exhaustion (36)
fatigado/a *adj.* tired (7)
favorecer (zc) to promote
febrero February (8)
fecal *adj.* fecal; **materia fecal** feces (28)

fecha date (*time*) (8)
ferina: **tos** (*f.*) **ferina** whooping cough, pertussis (29)
feto fetus (8)
fiable *adj.* reliable (7)
fibra fiber (15)
fiebre *f.* fever (3); **fiebre del heno** hay fever (32)
fijarse (en) to notice (23)
firma signature (47)
físico/a *adj.* physical (6)
fisiológico/a *adj.* physiological (28)
fluido fluid (30); **fluido corporal** bodily fluid (47)
fluir (y) *m.* flow (18)
formulario form (7)
fortalecer (zc) to strengthen, fortify (17)
fractura fracture (50)
fracturado/a *adj* broken, fractured (24)
frecuencia rate (17)
frente *f.* forehead (22)
frontal *adj.* frontal; **arteria frontal** frontal artery (31); **seno frontal** frontal sinus (cavity) (32)
fructosa fructose (15)
fruta fruit (15)
fuego fire (22)
fuera de *prep.* ouside of; **fuera de peligro** out of danger (26)
fuerte *adj.* strong (30)
fumar to smoke (*tobacco*) (10)
funcionar to function (17)

G

garganta throat (3)
gasa gauze (43)
gastroenterólogo/a gastroenterologist (33)
general *adj.* general; **anestesia general** general anesthetic (38)
generosidad *f.* generosity (34)
genético/a *adj.* genetic; **factor** (*m.*) **genético** genetic factor (37)
genital *adj.* genital; **herpes** (*m.*) **genital** genital herpes (46)
ginecología gynecology (8)
ginecólogo/a gynecologist (26)
gingivitis *f.* gingivitis (42)
glándula gland (31); **glándula tiroides** thyroid gland (40)
globo globe, ball; **globo ocular** eyeball (43)
golpe *m.* blow (24)
gonorrea gonorrhea (46)
gota drop (5)
gotear to drip (32)
gracias *pl.* thanks (3); **muchas gracias** many thanks (3)
grado degree (6)
grano pimple (37)
grasa fat (9)
grasiento/a *adj.* fatty (13)
grave *adj.* very serious, critical (6)
gripe *f.* flu (29)
grueso/a *adj.* big, thick; **intestino grueso** large intestine (30)

grupo group; **grupo sanguíneo** blood group (10)

guardería (infantil) preschool, daycare center (33)

gusto taste (41)

H

hacer (*p.p.* **hecho**) (*irreg.*) to do; to make; **me hice** I did (7)

hasta *prep.* up to, until (11)

hay there is, there are (6)

heces *f. pl.* feces (28)

hecho fact; deed (14)

hecho/a *adj.* made (16)

Heimlich: maniobra de Heimlich Heimlich maneuver (44)

hemorragia hemorrage, bleeding; **hemorragia nasal** nosebleed (43)

heno hay; **fiebre** (*f.*) **del heno** hay fever (32)

hepatitis *f.* hepatitis (29)

herida wound, injury (24)

herido/a *n., adj.* injured (person) (24)

hermano/a brother/sister; **rivalidad** (*f.*) **entre hermanos** sibling rivalry (34)

heroína heroin (41)

herpes (*m.*) herpes; **herpes genital** genital herpes (46)

heterosexual *m., f.* heterosexual person (47)

hidrocortisona hydrocortisone (44)

hidrogenado/a *adj.* hydrogenated (13)

hielo ice (44)

hierro iron (9)

hígado liver (12)

higiene *f.* hygiene (33)

hijo/a son/daughter; *pl.* children (6)

hilo thread, string; **hilo dental** dental floss (42)

hinchado/a *adj.* swollen (5)

hinchazón *m.* swelling (44)

hipertensivo/a *n., adj.* hypertensive (*person*) (39)

hipodérmico/a *adj.* hypodermic; **aguja hipodérmica** hypodermic needle (42)

historial *m.* history, record, background; **historial médico** medical history (7)

HIV (**virus** [*m.*] **de inmunodeficiencia humano**) HIV (human immunodeficiency virus) (47)

hoja leaf (23)

hombre *m.* man (44)

hombro shoulder (19)

homosexual *m., f.* homosexual (person) (47)

hormona hormone (10)

hospitalización *f.* hospitalization (31)

hoy *adv.* today (2)

hoyuelo dimple (41)

hueso bone (20)

huésped(a) host (45)

humano/a *adj.* human; **seres** (*m. pl.*) **humanos** human beings (45); **virus** (*m.*) **de inmunodeficiencia humano** (**HIV**) human immunodeficiency virus (HIV) (47)

humo smoke (32)

I

ictericia jaundice (28)

igual *adj.* the same, equal (34)

ilegal *adj.* illegal, unlawful (41)

íleon *m.* ileum, ilium (30)

ilícito/a *adj.* illegal (41)

importar to be important (34)

impotencia impotence (40)

incendiarse to catch fire (22)

incisivo incisor (42)

incluir (**y**) to include (44)

inconsciente *adj.* unconscious (39)

indicar (**qu**) to indicate (4)

índice *m.* index; **dedo índice** index finger (38)

indigestible *adj.* indigestible (16)

inesperado/a *adj.* unexpected; **complicación** (*f.*) **inesperada** unexpected complication (38)

infantil *adj.* of children; **guardería infantil** preschool, daycare center

infección *f.* infection (5); **infección de Vincent** Vincent's infection, trench mouth (42); **infección oportunista** opportunistic infection (47)

infeccioso/a *adj.* infectious, contagious (45)

infectado/a *adj.* infected (33)

inferior *adj.* lower; **labio inferior** lower lip (42)

inflamación *f.* inflammation (32)

influenza flu (29)

ingerir (**ie, i**) to ingest (23)

ingle *f.* groin (39)

inhalar to inhale (22)

inmunización *f.* immunization (29)

inmunodeficiencia: síndrome (*m.*) **de inmunodeficiencia adquirida** (**SIDA**) acquired immune deficiency syndrome (AIDS) (47); **virus** (*m.*) **de inmuno-deficiencia humano** (**HIV**) human immunodeficiency virus (HIV) (47)

inmunológico/a *adj.* immune; **sistema** (*m.*) **inmunológico** immune system (47)

inmunoterapia immunotherapy (33)

inodoro toilet (33)

inquietud *f.* restlessness (32)

insecticida *m.* insecticide (23)

insecto insect (32)

insolación *f.* heatstroke (21)

insomnio insomnia (40)

insulina insuline (15)

integral *adj.* whole (16)

intensivo/a *adj.* intensive; **sala de cuidados intensivos** intensive care unit (38)

interacción *f.* interaction (20)

internar to hospitalize, admit (*to a hospital*) (20)

internista *m., f.* internist, general practicioner (33)

interno/a *adj.* internal; **oído interno** inner ear (43); **órganos internos** internal organs (30)

intervenir (*like* **venir**) to intervene (34)

intestinal *adj.* intestinal (16)

intestino intestine (1); **intestino delgado** small intestine (30); **intestino grueso** large intestine (30)

intravenoso/a *adj.* intravenous (22)

invadir to invade (30)

inyección *f.* injection, shot (29)

ipecacuana: jarabe (*m.*) **de ipecacuana** ipecac syrup (23)

ir (*irreg.*) to go (3); **voy** I'm going (2)

iris *m.* iris (*eye*) (43)

irritado/a *adj.* irritated (5)

izquierda *n.* the left (*hand, side*) (5)

J

jaqueca migraine (headache) (35)

jarabe *m.* syrup; **jarabe de ipecacuana** ipecac syrup (23)

jeringa syringe (42)

junio June (7)

junto/a together (27)

L

labio lip; lip, edge of a wound (43); **labio inferior** lower lip (42); **labio superior** upper lip (42); **labios de la vulva** lips/labia of the vulva (44)

laboratorio laboratory (37)

lágrima tear (30)

laringe *f.* larynx (32)

laringitis *f.* laryngitis (29)

latente *adj.* latent (46)

lavar to wash (33)

laxante *m.* laxative (39)

leche *f.* milk (27)

lechoso/a *adj.* milky (27)

legal *adj.* legal, lawful (41)

lejía bleach (33)

lengua tongue (23)

lesión *f.* injury; **lesión cerebral** brain injury, damage (29)

libra pound (9)

lícito/a *adj.* legal (41)

limpiar to clean (42)

limpieza cleaning (4)

líquido liquid (21)

lirio lily; **lirio de los valles** lily of the valley (21)

lóbulo lobe; **lóbulo de la oreja** earlobe (43)

lombriz *f.* (*pl.* **lombrices**) worm (45)

lugar *m.* place (27)

lunar *m.* mole (*on the skin*) (37)

LL

llamado/a *adj.* so-called (35)

llamar to call, telephone (1); **¿puede llamarlo a su casa?** can you call him at home? (2)

llanto crying (27)

llevar to take (3); to carry; to wear; **la llevo** I'll take her (3)

llorar to cry (27)

M

mal *adv.* badly, poorly; **estar mal** to be ill (22)

malhumorado/a *adj.* ill-humored (35)
mandar to send (6)
mandíbula jaw (41)
manera way (33)
maniobra maneuver; **maniobra de Heimlich** Heimlich maneuver (44)
mano *f.* hand (19)
mareado/a *adj.* dizzy (19)
marihuana marijuana (41)
más *adj., adv.* more (10); **cada vez más** more and more (32); **pariente/a más cercano/a** next of kin (20); **más que** more than (12)
materia matter; material; **materia fecal** feces (28)
materno/a *adj.* maternal, mother's (27)
matrimonial *adj.* marital (35)
mayo May (7)
mayor *adj.* older; greater (14)
mecedora rocking chair (27)
mecer (z) to rock (27)
medicina medicine; medication (4); **medicina nuclear** nuclear medicine (33)
médico/a doctor (6); *adj.* medical; **historial (*m.*) médico** medical history (7); **médico/a de cabecera** family doctor (6); **receta médica** medical prescription (41)
medida measure (7)
medio (one-)half (27); means (47); **por medio de** by means of (47)
medio/a *adj.* middle; **oído medio** middle ear (43)
médula medulla (31); **médula espinal** spinal cord (31); **médula oblonga** medulla oblongata (31)
mejilla cheek (41)
mejor *adj., adv.* better (10)
mejorar to improve (17)
melanoma melanoma (37)
membrana membrane; **membrana mucosa** mucous membrane (32)
memoria memory; **pérdida de memoria** loss of memory (40)
menor *adj.* minor; lesser (27); less, younger (29)
menos *adj.* less, fewer (16)
menstruación *f.* menstruation (7)
mesa table; **mesa de reconocimiento** examining table (37)
metabolismo metabolism (17)
microbio germ, microbe (33)
mineral *m.* mineral (15)
mismo/a *adj.* same; itself (29)
mitad *f.* half (16)
moho mold, mildew; moss (32)
mojado/a *adj.* wet (27)
mojar to moisten, (make) wet (27)
mollera crown (*of head*); fontanelle (30); **mollera caída** fallen fontanelle (30)
montar to ride, mount; **montar en bicicleta** to ride a bicycle (17)
morfina morphine (40)
morir (ue, u) (*p.p.* muerto) to die (44)
mortal *adj.* fatal (47)
mortífero/a *adj.* fatal (20)

mucosidad *f.* mucosity (30)
mucoso/a *adj.* mucous; **membrana mucosa** mucous membrane (32)
mucho/a *adj.* a lot of; *pl.* many; **muchas gracias** many thanks (3)
muela tooth, molar (42)
muerte *f.* death (40)
muestra sample (7)
mujer *f.* woman; wife (6)
muñeca wrist (20)
músculo muscle (12)
muslo thigh (37)
muy *adv.* very; **muy bien** very well (2)

N

nacer (zc) to be born (8)
nacido/a *adj.* born; **recién nacido/a** newborn (28)
nacimiento birth (8)
narcótico/a *adj.* narcotic (40)
nariz *f.* (*pl.* narices) nose; **sonarse la nariz** to blow one's nose (33)
nasal *adj.* nasal; **cavidad (*f.*) nasal** nasal cavity (32); **hemorragia nasal** nosebleed (43)
náusea nausea, sickness (30)
negar (ie) (gu) to deny (40)
negativo/a *adj.* negative (40)
nervio nerve; **ataque (*m.*) de nervios** panic attack (35)
nervioso/a *adj.* nervous; nerve; **crisis (*f.*) nerviosa** nervous breakdown (34); **sistema (*m.*) nervioso central** central nervous system (31)
neumonia pneumonia (47)
neuritis *f.* neuritis (29)
neurológico/a *adj.* neurological (33); **cirugía neurológica** neurosurgery (33)
neurólogo/a neurologist (1)
neurosis *f.* neurosis (34)
niñez *f.* (*pl.* niñeces) childhood (34)
niño/a child (36)
nivel *m.* level (28)
nombre *m.* name (27)
normal *adj.* normal; **reacciones (*f. pl.*) normales** normal behavior (30)
nota grade (18)
noticias *pl.* news (23); **buenas noticias** good news (8)
nuca nape (of the neck) (41)
nuclear *adj.* nuclear; **medicina nuclear** nuclear medicine (33)
nudillo knuckle (38)
nuera daughter-in-law (20)
nutritivo/a *adj.* nutritional; nutritious (9)

O

obesidad *f.* obesity (12)
oblongo/a *adj.* oblong; **médula oblonga** medulla oblongata (31)
obrero/a worker (24)
observar to observe (30); **observarla** to observe her (27)
obstetricia obstetrics (33)
ocular *adj.* ocular; **globo ocular** eyeball (43)

oficina office (1)
oftalmólogo/a ophthalmologist (1)
oído inner ear (20); hearing (35); **oído interno** inner ear (43); **oído medio** middle ear (43)
ojo eye (5)
olor *m.* odor, smell (30)
olvidar to forget; **se me olvidó** I forgot (39)
ombligo navel (3)
onza ounce (16)
operación *f.* operation (38)
operar to operate (38)
opio opium (41)
oportunista *adj. m., f.* opportunistic; **infección (*f.*) oportunista** opportunistic infection (47)
oral *adj.* oral; **por vía oral** by mouth, orally (5)
oreja ear (22); outer ear (43); **lóbulo de la oreja** earlobe (43)
orgánico/a *adj.* organic, internal (31)
órgano organ (17); **órganos internos** internal organs (30)
orina urine (7)
orinar to urinate (46)
ortopedia orthopedics (24)
ortopedista *m., f.* orthopedist (25)
otolaringología otolaryngology (33)
ovario ovary (44)
óvulo ovum, egg (44)
oxigenado/a *adj.* oxygenated; **agua oxigenada** hydrogen peroxide (44)
oxígeno oxygen (17)

P

paciente *m., f.* patient (2); **paciente externo/a** outpatient (38)
paladar *m.* palate; **paladar blando** soft palate (42); **paladar duro** hard palate (42)
palma palm (38)
páncreas *m.* pancreas (14)
pancreatitis *f.* pancreatitis (40)
pánico panic (34)
pantorrilla calf (*of leg*) (37)
pañal *m.* diaper (27)
paperas *pl.* mumps, parotitis (29)
paranoia paranoia (41)
parásito parasite (45)
pariente/a relative; **pariente más cercano/a** next of kin (20)
parotiditis *f.* parotitis, mumps (29)
párpado eyelid (43)
parrilla (*barbeque*) grill (22)
parto birth, delivery (8)
pasado *n.* past (6)
pasar to pass (by); to happen; to spend (*time*); **¿qué pasa?** what happens?; what's happening? (4)
pastilla pill (39)
patológico/a *adj.* pathological (28)
patólogo/a pathologist (33)
pecho chest, breast (19); *pl.* breasts (39); **angina de pecho** angina pectoris (13)
pediatra *m., f.* pediatrician (27)

peine *m.* comb (33)

pelearse to squabble (34)

peligro danger (24); fuera de peligro out of danger (26)

peligroso/a *adj.* dangerous (38)

pelo hair; cepillo para el pelo hairbrush (33)

pélvico/a *adj.* pelvic (8)

pene *m.* penis (44)

penicilina penicillin (20)

pérdida loss (31); pérdida de memoria loss of memory (40); pérdida de peso weight loss (31)

período (*time*) period; período latente incubation period (46)

persistente *adj.* persistent (28)

persistir to persist, continue (28)

pertenecer (zc) to belong (6)

perturbación *f.* confusion, upset (20)

pertusis *f.* whooping cough, pertussis (29)

pesar to weigh (12)

peso weight (9); aumento de peso weight gain (31); pérdida de peso weight loss (31)

pestaña eyelash (43)

picadura sting (43)

picar (qu) to prick (29)

pie *m.* foot (37); dedo del pie toe (37)

piel *f.* skin (21)

pierna leg (20)

píldora pill (5)

pinzas *pl.* tweezers (43)

piojos *pl.* lice (33)

placa plaque (42)

planta plant (23)

plástico/a *adj.* plastic; cirugía plástica plastic surgery (22)

poco/a *adj.* little (10)

poder (*irreg.*) to be able, can; ¿puede llamarlo a su casa? can you call him at home? (2)

polen *m.* pollen (32)

poliomielitis (polio) *f.* poliomyelitis, polio (29)

póliza insurance policy (28)

polvo dust (32)

pomada salve (39)

pómulo cheekbone (41)

poner (*p.p.* puesto) (*irreg.*) to put, place; ponerse to go on (*a regimen*) (12)

por *prep.* for; by; because of; through (5); por medio de by means of (47); por sí solos by themselves (46); por vía oral by mouth, orally (5)

por ciento percent (37)

poro pore (37); poro tapado clogged pore

portador(a) carrier (33)

portarse to behave (34)

positivo/a *adj.* positive (7)

postizo/a *adj.* false; dentadura postiza dentures, false teeth (42)

precaución *f.* precaution (10)

preguntar to ask (43)

prematuro/a *adj.* premature (47)

preocupación *f.* worry (27)

preocuparse to worry (27)

prepucio foreskin (44)

prequirúrgico/a *adj.* presurgical; evaluación (*f.*) prequirúrgica presurgical evaluation (38)

presente: el presente this year or month (46)

preservativo condom (47)

presión *f.* pressure (43); presión arterial blood pressure (12)

prevenir (*like* venir) to prevent (30)

primer, primero/a *adj.* first (7); primeros auxilios first aid (43)

principio beginning; dar principio a to give rise to (34)

problema *m.* problem (30)

procesar to process (15)

profiláctico condom (47)

profundo/a *adj.* deep, profound (43)

programa *m.* program; programa de recuperación recovery program (40)

prolongado/a *adj.* prolonged (33)

promedio average, mean; promedio académico grade point average (18)

propio/a *adj.* own; amor (*m.*) propio self-esteem (35)

próstata prostate (40)

proteína protein (12)

proveer (y) to provide (14)

próximo/a *adj.* next (28)

prueba test (7)

psicológico/a *adj.* psychological (17)

psicólogo/a psychologist (34)

psicosis *f.* psychosis (34)

psicosocial *adj.* psychosocial (35)

psicoterapia psychotherapy (34)

psiquiatra *m., f.* psychiatrist (1)

pulga flea (45)

pulgar *m.* thumb (38)

pulmón *m.* lung (17)

pulmonar *adj.* pulmonary; arteria pulmonar pulmonary artery (31)

pulmonía pneumonia (47)

pulso pulse (17)

pulverizador *m.* spray, atomizer (39)

punta tip; punta del dedo fingertip (38)

punto stitch (43); point; punto de vista point of view (34)

puño fist (44)

pupila pupil (*eye*) (43)

purulento/a *adj.* purulent (46)

Q

¿qué? what?; ¿qué pasa? what happens?; what's happening? (10)

quedar to remain, stay (13); quedan dudas doubts remain (13)

quejarse to complain (19)

quemado/a *adj.* sunburned; burned (21)

quemadura burn (21)

quemar(se) to burn (oneself) (22)

quemazón *f.* burning (46)

querer (*irreg.*) to wish; to want; to love; querer decir to mean (28)

querido/a *adj.* dear, beloved (11)

quirófano operating room (38)

quitarse to take off, remove (*clothing*) (37)

R

radiólogo/a radiologist (1)

raíz *f.* (*pl.* raices) root (42)

rascar (qu) to scratch (*an itch*) (37)

rasguño scratch (5)

rayo ray; rayos X X-rays (1); sacar (unos) rayos X to take (some) X-rays (50)

razón *f.* reason (10)

razonable *adj.* reasonable (28)

reacción *f.* reaction; reacciones (*pl.*) normales normal behavior (30)

rebelión *f.* rebellion (35)

recepcionista *m., f.* receptionist (2)

receta prescription (4); receta médica medical prescription (41)

recetar to prescribe (9)

recibir to get, receive (26)

recibo receipt, receiving; acuso recibo... I acknowledge receipt . . . (46)

recién *adv.* recently, just; recién casado/a newlywed (28); recién nacido/a newborn (28)

reclamar to claim, demand (34)

recomendar (ie) to recommend (12)

reconocer (zc) to recognize (35)

reconocimiento (*medical*) examination (8); mesa de reconocimiento examining table (37)

recordar (ue) to remember (30)

recto rectum; rectus (30)

recto/a *adj.* straight, right (*angle*)

recuperación *f.* recovery, recuperation (38); programa (*m.*) de recuperación recovery program (40)

recurrente *adj.* recurring (32)

recurso recourse (38)

rechazar (c) to fight off (*an illness*) (47)

reducir (zc) to reduce, lower (13)

refrescar (qu) to cool (off); to refresh (21)

refuerzo reinforcement; dosis (*f.*) de refuerzo booster dose/shot (29)

régimen *m.* controlled diet (12)

regla rule (35)

regresar to return, go home (6)

regurgitación *f.* spitting up; regurgitation (28)

remedio remedy (15)

remisión *f.* remission (28)

remitir to abate (*illness*); to get better (*condition*) (28)

repentino/a *adj.* sudden (40)

repetir (i, i) to repeat (29)

reponerse (*like* poner) to recover (21)

reproducirse (zc) to reproduce (45)

requerir (ie, i) to require (31)

resentimiento resentment (34)

resfriado headcold, cold (4)

resfriarse to catch a cold (32)

resistencia endurance (17)

resolver (ue) (*p.p.* resuelto) to resolve, solve (34)

respiración *f.* breathing (21)

respirar to breathe (22)

respiratorio/a *adj.* respiratory; **sistema (*m.*) respiratorio superior** upper respiratory system (32)
resucitación *f.* resuscitation (44)
resultado result (7)
resumen *m.* summary (36)
resumir to sum up, summarize (40)
retina retina (43)
riesgo risk (16)
rígido/a *adj.* stiff (20)
rinitis *f.* rhinitis; **rinitis alérgica** allergic rhinitis (32)
riña quarrel (34)
riñón *m.* kidney (31)
rivalidad *f.* rivalry; **rivalidad entre hermanos** sibling rivalry (34)
rodilla knee (24)
romperse (*p.p.* roto) to break (20)
roto/a *adj.* broken, fractured (24)
rubéola German measles, rubella (29)
rueda wheel; **silla de ruedas** wheelchair (21)
rutinario/a *adj.* routine (35)

S

saber (*irreg.*) to know (3); **no que yo sepa** not that I know of (39)
sacar (qu) to take; to take out (38); **sacar (unos) rayos X** to take (some) X-rays (50)
sacarosa sucrose (15)
sacrificar (qu) to sacrifice (21)
sala room; **sala de cuidados intensivos** intensive care unit (38); **sala de espera** waiting room (3); **sala de recuperación** recovery room (38); **sala de urgencias** emergency room (19)
salino/a *adj.* saline (32)
salir (*irreg.*) to go out; to turn out (*a result*) (11)
salpullido rash (33)
salud *f.* health (8)
saludable *adj.* healthful, wholesome (14)
salvar to save (44)
sanar to heal, be cured (43)
sangre *f.* blood (8)
sanguíneo/a *adj.* (*pertaining to*) blood; **grupo sanguíneo** blood group (10)
sano/a *adj.* healthy; healthful (9)
sarampión *m.* measles, rubeola (29); **sarampión alemán** German measles, rubella (29)
sarcoma sarcoma; **sarcoma de Kaposi** Kaposi's sarcoma (47)
sarpullido rash (33)
sarro tartar (*on teeth*) (42)
saturado/a *adj.* saturated (13)
seco/a *adj.* dry (21)
secreción *f.* secretion (33)
secundario/a *adj.* secondary, side; **efecto secundario** side effect (39)
seda silk; **seda dental** dental floss (42)
sedentario/a *adj.* sedentary (17)
segundo/a *adj.* second (9)
seguridad *f.* security; **con seguridad** with certainty (7)

seguro insurance (1); **compañía de seguros** insurance company (28); **seguro social** social security (27)
seguro/a *adj.* safe; sure (7)
semen *m.* semen (47)
sencillamente *adv.* simply (33)
sencillo/a *adj.* simple (43)
seno sinus (*cavity*); bosom, breast; *pl.* breasts (39); **seno frontal** frontal sinus (*cavity*) (32)
sensación *f.* feeling (17)
sentido sense (35)
sentimiento feeling (34)
sentirse (ie, i) to feel (26)
señal *f.* sign, signal; symptom (27)
señalar to indicate, show, signal (28)
señor (Sr.) sir (46)
señorita (Srta.) Miss, Ms. (46)
ser (*irreg.*) to be; **aquí es** here it is (3); **fue** (he/she/it) was (7); **sería** it would be (23)
ser *n.m.* being; **seres humanos** human beings (45)
serio/a *adj.* serious (10)
severidad *f.* severity (45)
severo/a *adj.* severe, serious (51)
sexo sex (28)
sexual *adj.* sexual; **abuso sexual** sexual abuse (35)
SIDA (**síndrome de inmunodeficiencia adquirida**) AIDS (acquired immune deficiency syndrome) (47)
sien *f.* temple (41)
sífilis *f.* syphilis (46)
significar (qu) to mean (16)
silla chair; **silla de ruedas** wheelchair (21)
sillón *m.* armchair; **sillón del dentista** dentist's chair (42)
sin *prep.* without (12); **sin esfuerzo** without effort, effortlessly (28)
sinceramente *adv.* sincerely (47)
síndrome *m.* syndrome; **síndrome de inmunodeficiencia adquirida** (SIDA) acquired immune deficiency syndrome (AIDS) (47)
sino *conj.* but (rather) (18)
síntoma *m.* symptom (3)
sistema *m.* system; **sistema circulatorio** circulatory system (31); **sistema inmunológico** immune system (47); **sistema nervioso central** central nervous system (31); **sistema respiratorio superior** upper respiratory system (32)
sobaco armpit (38)
sobre *prep.* about; over (6)
social *adj.* social; **seguro social** social security (27)
socorro help; **¡socorro!** *interj.* help! (23)
solo/a *adj.* alone; **por sí solos** by themselves (46)
sólo *adv.* only (4)
soltero/a *adj.* single, unmarried (28)
sonar (ue) to sound; to blow; **sonarse la nariz** to blow one's nose (33)
substancia substance (23)
sucrosa sucrose (15)

sufrir (de) to suffer (from) (15)
suicidio suicide (35)
sujetar to fasten (43)
superior *adj.* upper; superior; **labio superior** upper lip (42); **sistema (*m.*) respiratorio superior** upper respiratory system (32)
surgir (j) to appear (47)
sustancia substance (23)
suturar to suture, put stitches in (*a cut*) (43)

T

tableta tablet, pill (5)
taladro drill (42)
talón *m.* heel (37)
tamaño size (12)
tapado/a *adj.* clogged, plugged-up; **poro tapado** clogged pore (37)
técnica technique (44)
temor *m.* fear (34)
temperatura temperature (30)
temporal *adj.* temporal; **vena temporal** temporal vein (31)
temprano *adv.* early (7)
tener (*irreg.*) to have (2); **aquí tiene(s)** here you have (*something*) (3); **tener cuidado** to be careful (10); **tener efecto** to have an effect (6)
tenia tapeworm (45)
teoría theory (18)
tercero/a *adj.* third (9)
tercio (one-)third (22)
testículo testicle (44)
tétanos *m.* tetanus (29)
tétanos *m.* tetanus (29)
tieso/a *adj.* stiff (20)
tijeras *pl.* scissors (43)
tímpano tympanum, eardrum (43)
tiña ringworm (33)
tipo type (1)
tiroides *adj.* thyroid; **glándula tiroides** thyroid gland (40)
tobillo ankle (24)
tocar (qu) to touch (33)
todo/a *adj.* all, every; *pron.* everything; everyone; **todos los viernes** every Friday (4)
torácico/a *adj.* thoraxic; **cirugía torácica** thoraxic surgery (33)
tórax *m.* thorax (32)
tos *f.* cough (32); **tos ferina** whooping cough, pertussis (29)
toser to cough (45)
tóxico/a *adj.* toxic, poisonous (23)
toxina toxin (30)
tragar (gu) to swallow
transmisión *f.* transmission (46)
transmitir to transmit (33)
transverso/a *adj.* transverse (30)
tráquea trachea, windpipe (32)
traqueotomía tracheotomy (22)
tratamiento treatment (4)
tratar to treat (30)
traumatismo trauma (43)
tremens: delírium (*m.*) **tremens** delirium tremens, DTs (40)

trimestre *m.* trimester (9)
triquinosis *f.* trichinosis (45)
trompa trunk; tube; **trompa de Eustaquio** Eustachian tube (43); **trompa de Falopio** Fallopian tube (44)
tuberculosis *f.* tuberculosis (47)
turno turn, shift; **de turno** on call (24)

U

úlcera ulcer (15)
últimamente *adv.* lately, recently (20)
último/a *adj.* last (7)
ungüento ointment (39)
único/a *adj.* only (17)
uña (finger)nail; **uña del pie** toenail (37)
uretra urethra (46)
urgencia emergency; **con/de urgencia** urgently (19); **sala de urgencias** emergency room (19)
urólogo/a urologist (33)
útero uterus (44)
utilizar (c) to use (14)
úvula uvula (42)

V

vacilar to hesitate (30)
vacuna vaccine; vaccination (6); **vacuna combinada** combined vaccine (29)
vacunación *f.* vaccination (29)
vacunado/a *adj.* vaccinated (29)
vagina vagina (44)
valor *m.* value, worth (15)
válvula valve; **válvula del corazón** heart valve (40)

valle *m.* valley; **lirio de los valles** lily of the valley (23)
vanidad *f.* vanity (21)
variado/a *adj.* varied (13)
várice *f.* varicose vein (38)
varicoso/a *adj.* varicose; **vena varicosa** varicose vein (38)
varios/as *adj. pl.* several (12)
vegetariano/a *adj.* vegetarian (14)
vejiga bladder (40)
vena vein; **vena temporal** temporal vein (31); **vena varicosa** varicose vein (38)
venda bandage (43)
vendar to bandage (43)
veneno poison (23)
venenoso/a *adj.* poisonous (23)
venéreo/a *adj.* venereal (46)
venir (*irreg.*) to come (6)
ventrículo ventricle (40)
verdoso/a *adj.* greenish (28)
vertebral *adj.* vertebral, spinal; **columna vertebral** spinal column (39)
vértebras *pl.* vertebrae (39)
vértigo dizziness (41)
vesícula vesicle; **vesícula biliar** gall bladder (40)
vez *f.* (*pl.* veces) time; **a veces** *adv.* sometimes (6); **cada vez más** more and more (32)
vía route; manner, means; **por vía oral** by mouth, orally (5); **por vía intravenosa** intravenously (22)
viajar to travel (6)
viernes *m.* Friday; **todos los viernes** every Friday (4)

vigilar to watch over (38)
Vincent: **infección** (*f.*)/**enfermedad** (*f.*) **de Vincent** Vincent's infection, trench mouth (42)
violento/a *adj.* violent (35)
viruela smallpox (45)
virus *m.* (*pl.* virus) virus (30); **virus de inmunodeficienca humano** (HIV) immunodeficiency virus (HIV) (47)
visitar to visit; **visitarlos** to visit them (4)
vista view; vision (35); **punto de vista** point of view (34)
vitamina vitamin (14)
viudo/a *n.* widower, widow; *adj.* widowed (28)
vivir to live (6)
vomitar to vomit (23)
vómito vomit, vomiting (30)
vulva vulva; **labios de la vulva** lips/labia of the vulva (44)

X

X: **rayos X** X-rays (l); **sacar (unos) rayos X** to take (some) X-rays (50)

Y

yema: **yema del dedo** fingertip (38)
yerno son-in-law (20)
yugular *f.* jugular (vein) (31)